Destination Amsterdam

3

Préparez votre voyage

Formalités d'entrée

Les citoyens de l'Union européenne, tout comme les Suisses, doivent être en possession d'une carte d'identité ou d'un passeport en cours de validité. Pour les Canadiens effectuant un séjour de moins de 3 mois, le passeport suffit. Informations sur le site de l'ambassade de France (www.amb-pays-bas.fr) et sur celui du Ministère néerlandais des Affaires étrangères (www.minbuza.nl).

Venir en avion

Les avions atterrissent au superbe aéroport de Schiphol, à 18 km au sud d'Amsterdam - ✆ 0 900 01 41 (0,35 €/mn) - www.schiphol.nl
👉 *Voir « Arriver à Amsterdam », p. 1, pour les liaisons vers la ville.*

Compagnies régulières

Air France – Vols au départ de Paris (6-8/j.), Lyon, Bordeaux, Marseille, Toulouse, Nice, Strasbourg, Nantes et Clermont-Ferrand - ✆ 36 54 (0,12 €/mn) - www.airfrance.fr
KLM – Mêmes liaisons qu'Air France et vols de Genève, Zurich et Bruxelles - ✆ 0892 702 608 (0,34 €/mn) - www.klm.fr
Swiss International Airlines – Vols au départ de Bâle et Zurich - ✆ 0820 040 506 (Suisse) - www.swiss.com

Compagnies à bas prix

Transavia – Vols au départ de Nice, Pau, Toulon et Genève - ✆ 0 892 058 888 (France) - ✆ 070 660 305 (Belgique) - www.transavia.com

Easy Jet – Propose une liaison Genève-Amsterdam. www.easyjet.com
Vous pouvez consulter **www.flylc.com**, le moteur de recherche des compagnies « low cost ».

Venir en train

Le moyen le plus pratique et le plus rapide pour se rendre à Amsterdam ! Au départ de Paris-Gare du Nord, le Thalys relie la gare centrale d'Amsterdam en 4h11 (bientôt 3h15), à raison d'env. 6 AR/j. via Bruxelles-Midi, Anvers et Rotterdam. Vous pouvez également prendre le TGV de nombreuses villes françaises vers Bruxelles, puis faire une liaison avec les trains Intercity (ttes les h, de 6h à 21h, en 2h50). Réservez tôt pour bénéficier de tarifs avantageux.
SNCF – ✆ 35 65 (0,34 €/mn) - www.voyages-sncf.com
SNCB – www.b-rail.be

Venir en autocar

De Paris, plusieurs départs quotidiens à destination d'Amsterdam, également à partir de villes françaises et belges (www.eurolines.be). Comptez 8h de trajet au départ de la gare routière Paris-Gallieni. Environ 20 € l'aller.
Eurolines – ✆ 0 892 899 091 - www.eurolines.fr
Bureaux à Amsterdam : Amstelstation - Julianaplein 5 - ✆ (020) 560 87 88 ; Rokin 10 - ✆ (020) 421 79 51.

Arriver à Amsterdam

En train

→DEPUIS CENTRAAL STATION
Située dans le centre-ville, c'est la gare d'arrivée des Thalys (de Paris et Bruxelles) et Intercity (de Bruxelles).
Desserte – La gare est le principal carrefour de transports de l'agglomération. Des trams, métros et ferries relient toute la ville et permettent de rejoindre aisément votre hôtel.
À pied – La marche est finalement le moyen le plus simple de rejoindre le centre. Le Dam n'est ainsi qu'à 400 m de la gare !
À vélo – Des loueurs vous attendent dès la sortie de la gare. Voir plus loin à *Vélo*.

SPÉCIAL TRAMWAY
Horaires : de 6h à 0h30.
Tickets et forfaits : ticket simple à l'unité 1,60 € + 1 ticket par zone.
Dagkaart : accès illimité pour tous types de transport, valable 24h, 48h ou 72h (de 7 à 14,50 €). Conseillé si vous visitez des lieux excentrés.
Strippenkaart : coupons valables dans tous les types de transport - 6,90 € pour 15 unités. Avantageux si vous restez dans le centre.
I Amsterdam : transports illimités + accès aux principaux musées, 24h (33 €), 48h (43 €) ou 72h (53 €). En vente à l'office du tourisme.
♿ *Transports p. 13.*

En avion

→DEPUIS SCHIPOL (AMS)
Aéroport situé à 18 km au sud-ouest du centre-ville.
✆ 0 900 01 41 - www.schiphol.nl
Train – Pour Centraal Station, ttes les 15mn en journée, ttes les h de 1h à 6h - 3,8 €/AS - www.ns.nl
Bus KLM – Ttes les 30mn vers plusieurs hôtels du centre-ville - 10 €/AS, 18 €/AR.
Bus 370 – Vers le sud et le centre d'Amsterdam ttes les 30-45mn env. entre 6h et 1h. Arrêts : Amstelveenweg, Haarlemmermeerstation, Museumplein, Leidseplein et Marnixstraat - 5 €/AS et env. 25mn jusqu'à Leidseplein - www.connexxion.nl
Airport shuttle – Navette vers une cinquantaine d'hôtels du centre-ville, ttes les 20mn de 7h à 21h - 13,50 €/AS ou 22 €/AR - www.schipholhotelshuttle.nl
Taxi – Env. 40 € pour une course vers le centre-ville - Comptez 25 à 50mn selon le trafic.

En autocar

Amstelstation (Julianaplein 5 - ✆ (020) 560 87 88), gare routière d'arrivée des bus Eurolines. Proche de la station de métro Amstel, reliée à Centraal Station par les lignes 51, 53 et 54.

1

2

Argent

Payer – Les cartes de crédit internationales sont acceptées dans les commerces, hôtels et restaurants. Seuls les *guesthouses* demandent à être payées en liquide ou acceptent votre carte moyennant un supplément. Les chèques de voyage peuvent être changés dans les banques et bureaux de change.

Changer et retirer de l'argent – Le change s'effectue dans les banques et bureaux de change, omniprésents autour de la gare, tout comme les distributeurs automatiques.

Budget et tarifs réduits – Le coût de l'hébergement et de la restauration est assez élevé. Des forfaits et cartes permettent de réduire les dépenses (*Visite p. 16 et Transports en commun p. 13*). Les étudiants se muniront de la carte ISIC pour bénéficier de tarifs réduits.

Saisons

Amsterdam bénéficie d'un climat océanique tempéré. Le printemps et l'été sont les meilleures périodes pour visiter la ville même si, en juillet-août, il faudra compter avec les longues files d'attente devant les musées. En avril et mai, vous admirerez les champs de fleurs au sud de Haarlem. L'automne est pluvieux, et Noël, quoique romantique, comme Pâques et la fête de la Reine (30 avr.) sont des périodes chargées. Prévisions sur **www.meteofrance.com**
Pour choisir votre date de séjour, voyez aussi l'« Agenda culturel » p. 17.

Pour en savoir plus

Office néerlandais du tourisme
www.holland.com
Il n'est pas ouvert au public, mais envoit des brochures sur demande.
En France – 9 r. Scribe - 75009 Paris - 01 43 12 34 20.
En Belgique – BP 136 - 1050 Bruxelles - contactbe@holland.com
Institut néerlandais – 121 r. de Lille - 75007 Paris - 01 53 59 12 40 - www. institutneerlandais.com - mar.-dim. 13h-19h. Cours de langue, expositions.

Office du tourisme à Amsterdam (VVV)
0 900 400 40 40 - www. amsterdamtourist.nl (version en français)
VVV Leidsestraat – Leidseplein 1 - avr.-août : lun.-merc. 9h-17h, jeu.-sam. 9h-19h ; sept.-mars : 9h-17h - fermé 1er janv., 30 avr., 25 déc.
VVV Stationsplein – Pl. de la gare - Stationsplein 10 - 0 900 400 40 40 - tlj 9h-17h sf 31 déc. 9h-16h - fermé 1er janv. et 25 déc.
VVV Centraal Station – Gare centrale, platform 2 - lun.-sam. 8h-20h, dim. 9h-17h, sf 31 déc. 8h-17h - fermé 25 déc.
VVV Schiphol – Aéroport international, Aankomstpassage 40 - 7h-22h.

Sites Internet
www.amsterdam.info/fr – Informations pratiques et générales.
www.amsterdammuseums.nl – Guide de 35 musées. En anglais.
www.amsterdamhotspots.nl – Tout sur les lieux à la mode. En anglais.
www.leforum.nl – Forum des francophones aux Pays-Bas. En français.

Votre séjour de A à Z

Achats

♿ *« Nos adresses/Shopping » p. 36, « Pour en savoir plus » p. 107 si vous voulez rapporter quelques spécialités locales.*

Adresses

Les rues bordant les canaux sont toujours numérotées en partant de la gare centrale et en tournant dans le sens inverse des aiguilles d'une montre.

Ambassades

La plupart des ambassades siègent à La Haye et disposent d'antennes consulaires à Amsterdam.
Consulat de France – Vijzelgracht 2 - ✆ (020) 530 69 69 - www.consulfrance-amsterdam.org - lun.-vend. 9h-12h.
Consulat de Belgique – Hoogoorddreef 9 - ✆ (020) 609 07 61 - www.diplomatie.be
Consulat de Suisse – Johann Vermeerstraat 16 - ✆ (020) 664 42 31.

Banques

♿ *« Horaires », p. 8.*

Drogues

La consommation et la vente de cannabis aux Pays-Bas ne sont pas « légalisées », seulement « tolérées ». Toutes sont interdites, mais la législation locale distingue le cannabis des drogues dures. Ainsi, la vente de cannabis est admise dans les coffee-shops, pour une quantité maximum de 5 g, et aux personnes de plus de 18 ans. Tous les coffee-shops doivent être en possession d'une licence - un autocollant vert et blanc apposé en vitrine. On note une tendance à la dissuasion et à la lutte contre le tourisme des coffee-shops, dont le nombre diminue. Renseignements sur le site de l'ambassade des Pays-Bas - www.amb-pays-bas.fr

Églises

Rares sont les églises ouvertes au public, la plupart étant reconverties en salles de concert ou d'exposition.

PAS DE PANIQUE !
Appel d'urgence : ✆ 112
Urgences médicales : ✆ (020) 555 55 55
Médecin 24h/24 : ✆ (020) 592 34 34
Pharmacie 24h/24 : ✆ (020) 694 87 09
SOS dentiste : ✆ 0 900 821 22 30
Assistance touristique : ✆ (020) 625 32 46
Perte cartes bancaires :
Téléphonez au n° fourni par votre banque pour faire opposition.
Visa : ✆ 0 800 022 31 10
MasterCard : ✆ (030) 283 55 55
American Express : ✆ 020 504 86 66

L'innovation au service de l'environnement.

Que ce soit à travers le développement de pneus à basse consommation de carburant ou à travers notre engagement en matière de développement durable, le respect de l'environnement est une préoccupation quotidienne que nous prenons en compte dans chacune de nos actions. Car œuvrer pour un meilleur environnement, c'est aussi une meilleure façon d'avancer.

www.michelin.com

MICHELIN

Une meilleure façon d'avancer.

Handicap

Les principaux musées et les transports publics d'Amsterdam sont pourvus d'installations adaptées. En revanche, la plupart des hôtels de gamme moyenne sont situés dans des demeures anciennes aux escaliers étroits et disposent rarement d'un ascenseur. Le symbole international d'accessibilité (ITS) est attribué aux établissements disposant d'aménagements adaptés.

Association des Paralysés de France – www.apf.asso.fr

Access Able Travel Source – www. access-able.com. Liste d'hébergements, transports adaptés, etc.

Hébergement

« Nos adresses/Se loger *» p. 22.*

Horaires

Banques – Lun. 13h-17h, mar.-vend. 9h-17h. Les bureaux de change GWK (gare centrale) ouvrent durant le week-end.

Bureaux de poste – Lun.-vend. 9h-18h. Seul le bureau central *(Singel 250)* est ouvert le sam. matin.

Commerces – La plupart des commerces sont ouverts le lundi de 12h à 18h et du mardi au samedi de 10h à 18h. Les boutiques du centre historique ferment à 21h le jeudi (koopavond). De plus en plus de commerces ouvrent également le dimanche après-midi.

Pharmacies – Lun.-vend. 8h30-17h30. Services de garde affichés.

Restaurants – *«* Restauration *» p. 10* et *«* Nos adresses/Se restaurer *» p. 25.*

Musées, monuments et sites – En règle générale, les musées ouvrent du lundi au samedi, de 10h à 17h, et le dimanche de 13h à 17h (18h pour les grands musées tels Rijksmuseum, Van Gogh Museum). Les billetteries ferment 30mn avant la fermeture.

Internet

Tous les Amstellodamois ou presque sont équipés d'un réseau WiFi. Si vous possédez un ordinateur doté d'une carte WiFi, vous pourrez vous connecter sur les réseaux des hôtels moyennant parfois une modeste participation financière.

Les cafés Internet n'ayant plus grand intérêt, ils disparaissent peu à peu. Certains subsistent autour de Centraal Station comme Internet City (Nieuwendijk 76 - 10h-0h) ou Freeworld (Nieuwendijk 30 - 10h-1h, vend.-sam. 3h). Signalons aussi que la bibliothèque centrale, **OBA** (Oosterdokskade - 10h-19h), proche de la gare, est équipée de nombreux postes d'accès gratuit.

Jours fériés

1er janvier : Jour de l'an *(Nieuwjaarsdag)*.
Mars-avril : Vendredi saint *(Goede Vrijdag)*.
Mars-avril : Dimanche et lundi de Pâques *(Eerste en tweede Paasdag)*.
30 avril : Fête de la Reine *(Koninginnedag)*.
5 mai : Jour de la Libération *(Bevrijdingsdag)*.
Mai-juin : Ascension *(Hemelvaartsdag)*.
Juin : Dimanche et lundi de Pentecôte *(Eerste en tweede pinksterdag)*.
25-26 décembre : Noël *(Eerste en tweede kerstdag)*.

Langue(s)

Bien que tout le monde accepte volontiers de communiquer en anglais, quelques mots de néerlandais seront les bienvenus lors de vos rencontres (voir le lexique dans le rabat de couverture).

Loisirs

Patinage – Une passion séculaire ! Les canaux gelant moins en hiver, on patine sur les canaux de campagne ou à la patinoire Jaap Eden Ijsbanen (Radioweg 64 - www.jaapeden.nl).
Roller – Rares sont les « rollermen » dans le centre pavé, mais ils glissent dans le Vondelpark. Si le temps le permet, une randonnée d'env. 20 km est organisée le vendredi soir, au départ du Vondelpark (www.fridaynightskate.com).
Football – Pourquoi pas assister à un match de l'Ajax ? ♿ « *Pour en savoir plus* » p. 120.
Piscines et sauna – Mirandabad, située au sud de la ville, bassins extérieurs et intérieurs : De Mirandalaan 9 (tram 25) - ☏ (020) 546 44 44 - www.mirandabad.nl ; Sauna Deco, superbe sauna Art déco : Herengracht 115 - ☏ (020) 623 82 15 - www.saunadeco.nl
Plages – En moins de 30mn de train, vous pourrez rejoindre les plages de la mer du Nord et leurs longs cordons dunaires. Autre option pour les bains de soleil : les plages urbaines aménagées au bord de l'IJ, dans les anciennes zones industrielles. Ainsi Amsterdam Plage et Strand West sur les docks de l'ouest *(voir Westerdok)* ou Blijburg (Haveneiland, Ijburg à l'extrémité est de la ville.

Photographie

La photographie est souvent réglementée à l'intérieur des musées et des monuments : observez bien les consignes indiquées à l'entrée.

Poste

Les timbres sont en vente dans les bureaux de poste et chez les marchands de journaux. Comptez 0,69 € pour une lettre vers l'Europe au tarif prioritaire.
TPG Postkantoor Singel – Singel 250 - ☏ (020) 556 33 11 - www.postkantoor.nl ou www.tpgpost.nl - lun.-vend. 9h-18h, sam. 10h-13h30. La poste centrale est le seul bureau ouvert le samedi matin.

Pourboire

Au restaurant, le service est compris dans l'addition, mais il est d'usage d'arrondir la note.

Presse et médias

Publications en anglais
Amsterdam Day by Day (mensuel, 1,95 €) et *Amsterdam Weekly* (hebdomadaire gratuit) vous tiendront au courant des programmations de la semaine, du mois et de l'agenda événementiel.

Presse écrite
Les quotidiens étrangers sont disponibles dans les kiosques AKO de Centraal Station et dans les grandes librairies du centre-ville, notamment Athenaum (Spui 14-16) et The American Book Center (Kalverstraat 185).
Les Amstellodamois lisent *De Telegraaf* (www.telegraaf.nl), premier quotidien

national, tendance conservatrice, *De Volkskrant* (www.volkskrant.com) second journal du pays de tendance centre-gauche, et *Het Parool* (www.parool.nl), quotidien local dont le supplément du samedi (PS) donne une liste de spectacles.

Livres

De passionnants ouvrages consacrés à Amsterdam (architecture, histoire, arts, tourisme, gastronomie) sont vendus dans les librairies comme Athenaeum (♿ « Nos adresses/Shopping » p. 36).

Télévision

Aux Pays-Bas, Il existe neuf grandes chaînes de télévision : Nederland 1, NOS 2, NOS 3, SBS 6, V8, Veronica, TV 10, RTL Nieus, DDS. Amsterdam reçoit aussi AT5 (information locale), Salto (programmes culturels) et Migranten TV (chaîne turque). La plupart des chaînes diffusent les productions étrangères en version originale. La chaîne francophone TV5 est diffusée dans la plupart des hôtels (www.tv5.org).

Radio

Amsterdam capte plusieurs chaînes de radio nationales comme Radio 1 (98.9 FM), Radio 2 (92.6 FM), Radio 3 (96.3 FM) et Radio 5 (108 FM), qui émettent régulièrement des bulletins d'information. Vous pourrez capter plusieurs radios internationales comme RFI (98,5 FM - www.rfi.fr).

Restauration

Amsterdam étant une ville d'affaires et de tourisme, les restaurants offrent des menus avantageux le midi en semaine. Mais à cette même heure, les nombreux *eetcafés* offrent une alternative vivement conseillée (et largement adoptée par tous les Amstellodamois). Nombre de restaurants n'ouvrent d'ailleurs qu'en soirée. On dîne tôt (dès 18h) et les cuisines ferment vers 21h30. Sachez enfin que l'eau plate n'est jamais gracieusement servie en carafe.
♿ « Pourboire » p. 9 et « Nos adresses/Se restaurer » p. 25.

Savoir-vivre

En marchant – Tâchez de repérer rapidement les pistes cyclables et de ne pas les emprunter si vous ne voulez pas rencontrer brutalement un Amstellodamois lancé sur son vélo…

Invitation – Si vous êtes invité chez un Néerlandais, soyez ponctuel et offrez des fleurs, même à des hommes, ou une bouteille de vin. N'oubliez pas que l'on dîne tôt et déchaussez-vous avant d'entrer. Dans les familles calvinistes, le dimanche est un jour sacré, aucune invitation ne sera proposée ce jour.

Langue – Quelques formules de politesse en néerlandais feront plaisir à vos hôtes, même si la plupart des Néerlandais parlent un anglais parfait.

Premiers contacts – Si au premier abord les Néerlandais donnent l'impression d'être plutôt indifférents à leurs semblables, interprétez ce comportement comme une forme de tolérance héritée du protestantisme. Toutefois, si vous empiétez sur le domaine privé et si votre attitude est considérée comme « associale », on vous

rappellera à l'ordre sans complexe. En revanche, il n'existe pas de protocole vestimentaire particulier.

Questions d'argent – Aux Pays-Bas, tout service se monnaye (toilettes publiques par exemple). Et sachez qu'au restaurant, on paye souvent « à la hollandaise », c'est-à-dire chacun sa part.

Tabac

La cigarette est interdite dans les lieux publics et les hôtels, sauf s'il existe des zones spéciales. Depuis juillet 2008, il est interdit de fumer du tabac dans les coffee-shops.

Taxi

Même s'il est possible de héler les taxis, mieux vaut les réserver par téléphone, ou à partir d'une borne (Rembrandtplein, Leidseplein, Centraal Station, etc.). Une course en taxi coûte 2,90 € pour la prise en charge et 1,80 € par kilomètre parcouru.

Renseignements – ℘ (020) 677 77 77 (24h/24) - www.taxi.amsterdam.nl

Téléphone

De l'étranger vers Amsterdam

℘ 00 + 31 (indicatif du pays) + indicatif local sans le 0 (20 pour Amsterdam) + numéro de votre correspondant. L'indicatif local pour Amsterdam est indiqué entre parenthèses dans ce guide.

Les numéros de portables commencent par 06, les numéros verts par 0800, les numéros payants par 0 900, 0 190 et 0180.

D'Amsterdam vers l'étranger

℘ 00 + indicatif du pays (33 pour la France et Monaco, 32 pour la Belgique et 41 pour la Suisse + numéro de votre correspondant (sans le 0 pour la France).

Téléphones publiques

Ils sont reconnaissables à leur couleur verte et fonctionnent avec des pièces ou des cartes téléphoniques, vendues dans les postes et bureaux de tabac. Les appels passés après 20h sont moins chers.

Téléphones portables

Si vous comptez utiliser votre téléphone portable, pensez à faire activer l'option internationale auprès de votre opérateur avant le départ. Pour un long séjour, il est plus judicieux d'acheter sur place une carte SIM qui vous donnera un numéro local.

Toilettes

La plupart des toilettes publiques sont payantes, y compris celles des cafés !

Transports en commun

Vous les utiliserez rarement pour un court séjour, car les sites d'intérêt sont regroupés dans le (petit) centre-ville.

Réseau

Le réseau des tramways, bus et métro d'Amsterdam est géré par la société GVB, dont les bureaux sont situés devant Centraal Station (Stationsplein 10 - ℘ (020) 460 60 60 - www.gvb.nl - 7h-23h). Vous pouvez vous y procurer les titres de transport et le plan des lignes qui, pour la plupart, ont pour terminus

Centraal Station. Le réseau du **métro** amstellodamois, en plein chantier, ne compte encore que quatre lignes, utiles pour se rendre dans les banlieues sud. Le **tram** en revanche est le moyen de transport en commun le plus utilisé. En circulation de 6h à 0h30 avant d'être relayé par des bus de nuit qui passent par Centraal Station. Les **bus** servent à rejoindre les quartiers éloignés. L'Opstapper (tlj sf dim. 7h30-18h30) est le seul bus à circuler le long de la Ceinture des canaux.

Tarifs et forfaits

La ville d'Amsterdam étant divisée en zones, vous devez composter au moins deux coupons à chaque trajet, le premier comme simple ticket, le second pour une zone. Si votre trajet traverse deux zones, dans ce cas, compostez trois coupons.

S'il est possible d'acheter un ticket à l'unité à bord des bus et des trams (1,60 €), il est plus avantageux d'acheter un forfait dans les bureaux du GVB, les gares, les postes, les tabacs, les marchands de journaux et les offices de tourisme. La **Dagkaart** est une carte à la journée valable pour une personne que l'on peut acheter pour un à quatre jours (7-14,50 €). Il faut la composter lors du premier trajet. Valable sur tout le réseau, elle s'avère économique à partir de deux jours. La **Strippenkaart** de 15 unités (6,90 €) est valable sur l'ensemble du territoire national et ce dans les bus, les tramways et le métro.

Ⓒ Carte I Amsterdam (musées + transports) p. 16.

Trains

Vous les emprunterez pour vos excursions hors de la capitale. Ils sont fréquents, rapides et partent de Centraal Station. www.ns.nl

Transports sur l'eau

Croisières sur les canaux

Elles offrent une approche toute différente des quais animés et des maisons de canaux qui, la nuit, se reflètent dans l'eau. La croisière peut s'effectuer à toute heure de la journée, mais vous croiserez moins de monde en fin d'après-midi ou en début de soirée. Les compagnies à la sortie de Centraal Station proposent des croisières d'une heure (10 €/pers.). Commentaires en plusieurs langues.

Holland International – Hendrikkade 33 - ℘ (020) 625 30 35 - www.hir.nl - 9h-22h.

Blue Boat Company – Stadhouderskade 25 - ℘ (020) 679 13 70 - www.blueboat.nl - 10h-21h.

Lovers – Prins Hendrikkade - ℘ (020) 530 5412 - www.lovers.nl - 9h-21h.

Canal-bus et Museumboot

Ils permettent d'emprunter à volonté un parcours préétabli desservant les principaux sites touristiques.

Canal-bus – Wetteringschans 24 - ℘ (020) 623 98 86 - www.canal.nl). Trois lignes ponctuées de 14 arrêts au départ de Centraal Station.

Museumboot *(voir Lovers ci-dessus)* dessert 12 arrêts, forfait journée 18,50 €/pers. et réductions pour les musées.

13

Ferries

Derrière Centraal Station, des ferries gratuits de la GVB, pour piétons et cyclistes, font la navette avec le quartier d'Amsterdam-Noord, de l'autre côté de l'IJ. Du ponton 8, on peut emprunter le Javaveer à destination de Java-eiland *(voir p. 100)* pour 1 €/pers.

Ferry IJ-buurtveer

Les dimanches d'été (de Pâques à oct.), ce ferry nostalgique embarque passagers et cyclistes à la découverte du port et des villages de la banlieue nord. Trois AR/j. au départ de Centraal Station, 4,50 €/pers. www.museum-ijveren-amsterdam.nl.

En pédalo

Avec Canal-bike, location de pédalos (4 places) au départ de Leidseplein, du Rijksmuseum et de la maison d'Anne Frank - www.canal.nl - 10h-20h, 22h en été - 8 €/h.

Vélo

Vivez Amsterdam comme un véritable Amstellodamois ! Le *fiets* est le moyen de transport le plus rapide, le plus économique et le plus agréable. Complètement plat, le centre s'étend sur 5 km et la ville est dotée d'un réseau de pistes cyclables de quelque 400 km. ♿ *« Pour en savoir plus » p. 118.*

Conseils

Pédaler à Amsterdam nécessite toute votre vigilance. Faites attention aux autres vélos, aux voitures et aux tramways, respectez les feux rouges, les priorités et les sens interdits. Veillez également à ne pas coincer vos roues dans les rails de tramway ! Il est interdit de se déplacer sans phares la nuit et de rouler à vélo dans les rues piétonnes (fortes amendes). Vous pouvez voyager avec votre vélo dans les trains en achetant un ticket spécial.

Se garer – Attention aux nombreux vols : attachez absolument votre vélo avec deux antivols, surtout la nuit. Essayez de respecter les interdictions et utilisez en priorité les parkings à vélo.

Itinéraires – Faites confiance à votre instinct ! Vous pouvez aussi acheter des cartes-itinéraires dans les offices de tourisme et sur *www.cartovelo.com*

Location

Les prix tournent autour de 8-10 €/jour. On vous demandera une pièce d'identité ou une caution, en liquide ou par carte bleue. L'assurance n'est pas toujours comprise dans le prix, mais elle est vivement conseillée. Certaines compagnies proposent également des **circuits guidés** de la ville et des environs (15-25 €/pers.).

Mac Bike –Stationsplein 12 - ☎ (020) 620 09 85 - www.macbike. nl - 9h-17h45. Aussi des circuits guidés.

Mike's Bike Tours – Kerkstraat 134 - ☎ (020) 622 79 70 - www. mikesbikeamsterdam.com - 10h-18h (9h en été). Location et circuits guidés « bateau-vélo » en été (29 €/pers.).

Damstraat Rent a Bike – Damstraat 20-22 - ☎ (020) 625 50 29 - www. bike.nl - 9h-18h. Vélos, tandems, trottinettes…

Frederic Rent a Bike – Brouwersgracht 78 - ☎ (020) 624 55 09 - www.frederic.nl - 9h-12h, 13h-18h. Loueur francophone.

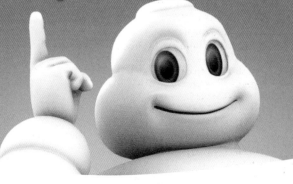

Yellow Bike – Nieuwezijds Kolk 29 - ℰ (020) 620 69 40 - www.yellowbike.nl - 9h-17h. Location et circuits organisés.

Visites

Les musées amstellodamois pratiquent des tarifs élevés (entre 6 et 10 €), malgré les réductions pour les enfants, les étudiants et les plus de 65 ans. Si vous comptez faire la tournée des musées, procurez-vous le pass I Amsterdam Card (voir ci-dessous) ou la **Museumkaart**, carte nominative valable un an qui donne accès à près de 400 musées néerlandais. Elle est vendue auprès des musées concernés (35 €/adulte, 17,50 € pour les moins de 25 ans).

I Amsterdam Card – Avantageuse si souhaitez visiter un maximum de musées en un minimum de temps, cette carte à puce, valable 24h (33 €), 48h (43 €) ou 72h (53 €), vous donne accès aux principaux musées publics d'Amsterdam (Rijksmuseum, Van Gogh Museum, Stedelijk Museum, Tropenmuseum, Rembrandthuis, Amsterdams Historisch Museum, etc.), à l'utilisation illimitée des transports en commun de la GVB (bus, tram, métro), à deux croisières d'une heure sur les canaux et à des réductions diverses. Elle est vendue dans les bureaux de l'office de tourisme (♿ *« Pour en savoir plus », p. 5).*

Visites guidées

Nombre d'agences proposent des visites guidées à la sortie de Centraal Station. Mais le plus simple est de se rendre à l'office de tourisme *(♿ « Pour en savoir plus », p. 5)* où toutes les offres sont présentées et où il est possible de réserver. Voyez leur brochure *Amsterdam Excursions* qui expose toutes les possibilités : à pied, à vélo, en bus, en bateau, de nuit, dans les environs, circuits thématiques, etc.

Vous pouvez aussi télécharger des visites commentées de la ville sur votre MP3, notamment sur les sites www.audiocitytours.com et www.walki-talki.com. Comptez env. 4 € pour une visite de 1h30 en anglais avec plan imprimable.

♿ *« Vélo » p. 14 pour les circuits guidés « à pédales », et « Transports sur l'eau » p. 13 pour les croisières.*

Agenda culturel

Le site www.amsterdamtourist.nl et les publications *Amsterdam Day by Day* (mensuel - 1,95 €) et *Amsterdam Weekly* (www.amsterdamweekly.nl - hebdo gratuit) vous tiennent au courant des programmations de la semaine et de l'agenda événementiel.

Rendez-vous annuels

JANVIER-FÉVRIER-MARS
➔**Nouvel an chinois**, défilé autour du Nieuwmarkt.
➔**Carnaval**, belle fête costumée.
➔**Stille Omgang**, dim. le plus proche du 15 mars, commémoration du miracle d'Amsterdam. www.stille-omgang.nl

AVRIL
➔**Nationaal Museumweekend**, 2e w.-end, gratuité des musées publics. www.museumweekend.nl
➔**Bloemencorso**, w.-end fin du mois, corso fleuri de Noordwijk à Haarlem. www.bloemencorso.info
➔**Fête de la Reine** *(Koninginnedag)*, 30 avr. (le 29 si le 30 tombe un dim.). Cette fête nationale est l'événement le plus important de l'année. Des milliers de jeunes vêtus en orange (couleur de la famille royale) affluent pour une fête gigantesque.

MAI
➔**Fête de la Libération** *(Bevrijdingsdag)*, le 5 mai, commémore la fin de l'occupation allemande de 1945.
➔**Journée des moulins** *(Nationale Molendag)*, 2e sam. de mai.

➔**KunstRAI**, 1re ou 2e sem, grande foire des arts contemporains au parc des expositions. www.kunstrai.nl
➔**Fête du hareng nouveau** *(nieuwe maatjes)*, le 31, dans tous les kiosques.

JUIN-JUILLET
➔**Openluchttheatre Vondelpark**, juin-août, merc.-dim. Théâtre de plein air du Vondelpark : concerts et spectacles gratuits. www.openluchttheater.nl
➔**Amsterdam Roots**, mi-juin, Oosterpark, festival de musiques du monde. www.amsterdamroots.nl
➔**Holland Festival**, le plus grand festival culturel du pays : concerts, opéras, ballets, etc., dans les théâtres. www.hollandfestival.nl
➔**Kwakoe Festival**, 6 w.-ends en juil.-août, Bijlmerpark, festival multiculturel (Surinam, Antilles) : danse, musique, théâtre, cinéma, littérature, cuisine et football. www.kwakoe.nl
➔**Amsterdam Tournament**, fin juil. à l'ArenA, tournoi de football amical avec l'Ajax et d'autres « grands d'Europe ».

AOÛT
➔**Gay Pride**, 1er w.-end, grande parade sur les canaux. www.amsterdamgaypride.com
➔**De Parade**, 1re quinz., Martin Luther King Park, festival inspiré des cirques traditionnels. www.mobilearts.nl
➔**Festival des Canaux** *(Grachtenfestival)*, 3e sem., festival de musique classique autour de la Ceinture des canaux. www.grachtenfestival.nl

17

→**Uitmarkt**, le dernier w.-end, marque le début de la nouvelle saison culturelle : concerts et spectacles gratuits sur les places de la ville. www.uitmarkt.nl

→**Open Haven Podium**, un w.-end dans la 2e quinz. d'août, festival culturel au cœur de l'architecture moderne de Java-eiland. www.openhavenpodium.nl

SEPTEMBRE-OCTOBRE
→**Bloemencorso Aalsmeer-Amsterdam**, 1er sam. de sept., grand corso fleuri d'Alsmeer à Amsterdam. www.bloemencorsoaalsmeer.nl

→**Seven Bridges Jazz Festival**, déb. sept., festival de jazz gratuit d'une journée. www.sevenbridges.nl

→**Journées du patrimoine** (Open Monumentendag), 2e w.-end de sept. www.openmonumentendag.nl

→**Jordaan Festival**, un w.-end mi-sept., marché, spectacles de rue, concerts dans le Jordaan. www. jordaanfestival.nl

→**ING Amsterdam marathon**, mi-oct. www.ingamsterdammarathon.nl

→**Amsterdam Dance Event**, un w.-end fin oct., grand festival de musique électronique dans trente clubs de la ville. www.amsterdam-dance-event.nl

NOVEMBRE-DÉCEMBRE
→**Festival du cannabis** (High Times Cannabis Cup), fin nov., forums, concerts et concours. www.cannabiscup.com

→**Parade de Saint-Nicolas** (Sinterklaas Parade), 2e quinz. de nov., grand défilé fêtant saint Nicolas, patron des marins et ancêtre du Père Noël.

→**Saint-Nicolas** (Sinterklaas), 5-6 déc., dans la nuit saint Nicolas apporte ses cadeaux aux enfants.

→**Nouvel an**, 31 déc., après minuit, la foule s'empare du Dam, de Leidseplein, de Rembrandtsplein et du Nieuwmarkt.

Expos temporaires

Amsterdam vit au rythme d'expositions variées et de grande qualité, souvent abritées dans des lieux superbes (tous décrits dans le chapitre « *Visiter Amsterdam* »). Ainsi : **De Nieuwe Kerk** et **Beurs van Berlage** (p. 46) dans le centre historique ; **De Oude Kerk** dans le Quartier rouge (p. 56) ; **De Appel** et **FOAM**, dans la Ceinture des canaux : expositions d'art contemporain et de photographie (p. 72).

Renseignements – Pour tout savoir sur la programmation, consultez www. aub.nl (Leidesplein 26 - ℘ 0 900 01 91 - lun.-sam. 10h-19h30, dim. 12h-19h30) ou www.uitburo.nl. Pour les manifestations plus exclusives et les galeries de quartiers, voyez www. akka.nl/agenda, www.kunstinzicht.nl ou www.iamsterdam.com. Le site www. latribunedelart.com vous informe des grandes expositions internationales.

Événements 2009-2010

Jan Lievens *(17 mai 2009 - 9 août 2009)* à la **Rembrandthuis** *(p. 90)*.
Alfred Stevens *(18 sept. 2009 - 24 janv. 2010)* et *Van Gogh's letters (9 oct. 2009 - 3 janv. 2010)* au **musée Van Gogh** *(p. 84)*.
Sans oublier les réouvertures après rénovation des grands musées de la ville (Rijksmuseum, Hermitage, Stedelijk).

Vous avez
la bonne adresse !

Du palace à la maison d'hôte, du grand restaurant au petit bistrot, la collection des guides MICHELIN, ce sont 45.000 hôtels et restaurants sélectionnés par nos inspecteurs en Europe et dans le monde. Où que vous soyez, quel que soit votre budget, vous avez la bonne adresse !

www.cartesetguides.michelin.fr

Une meilleure façon d'avancer

20

Nos adresses

21

Se loger

Le bruyant centre historique compte nombre d'établissements. Mais pour plus de charme et de confort, préférez la Ceinture des canaux, le Jordaan et le quartier des musées. Se loger dans cette ville de tourisme et d'affaires revient cher quel que soit le type d'établissement – il est en effet difficile de trouver un logement décent à moins de 100 € la chambre double. Les tarifs, plus bas en semaine, peuvent néanmoins chuter de 30 % en basse saison. **Réservez longtemps à l'avance**. Consultez les sites des hôtels ou www.lindbergh.nl (réservations de dernière minute), www.visitamsterdam.nl (service de réservation de l'OT), www.weekendhotel.nl (hôtels, appartements, houseboats, B&B).

Repérez les adresses ci-dessous sur le plan détachable, à l'intérieur de la couverture, grâce à des pastilles numérotées (ex. ①). Les carroyages en rouge font référence au plan détachable.

Centre historique

LUXE

① **Amrâth** – E3 - *Prins Hendrikkade 108-114* - Ⓜ *Centraal Station - ✆ (020) 552 00 00 - www.amrathamsterdam.nl - 163 ch -* 🖼. Le fleuron de l'école d'Amsterdam, jadis siège des compagnies de navigation, abrite un hôtel admirable. Les immenses volumes, les verrières aux décors marins et la salle des coffres devenue cave à vins, impressionnent autant que le confort des chambres.

Les canaux nord

DE 80 À 120 €

③ **Brouwer** – C2 - *Singel 83* - Ⓣram *1, 2 - ✆ (020) 624 63 58 - www.hotelbrouwer. nl - 8 ch -* 🖼. Une maison de canal (1652) au charme fou, des chambres meublées à l'ancienne et ouvertes sur le canal, des planchers patinés, des carreaux de Delft, un accueil adorable…

⑯ **Truelove Antiek & GH** – C2 - *Prinsenstraat 4* - Ⓣram *1, 2, 5 - ✆ (020) 320 25 00 - www.truelove.be - 16 ch. et appart*. Dans d'agréables studios ou dans les jolies chambres aménagées au-dessus du magasin d'antiquités des propriétaires, vous passerez un séjour calme et confortable.

DE 120 À 200 €

⑰ **Wiechmann** – B4 - *Prinsengracht 328-332* - Ⓣram *1, 2, 7 - ✆ (020) 626 33 21 - www.hotelwiechmann.nl - 37 ch*. En bordure du Jordaan, trois maisons des 18e et 19e s., au cadre romantique rempli de meubles d'époque. On s'y sent vite « comme à la maison » et l'on profite, au petit-déjeuner, d'une belle salle lumineuse sur le canal.

LUXE

⑤ **The Dylan** – C4 - *Keizersgracht 384 - *Ⓣram *1, 2, 5 - ✆ (020) 530 20 10 - www.dylanamsterdam.com - 41 ch*. Création de Anouska Hempel, cet hôtel de luxe relève de l'œuvre d'art. Matériaux, formes, couleurs et atmosphère ont été étudiés pour obtenir ce petit bijou design, teinté d'une note asiatique.

Une façade haute en couleurs.

Les canaux sud

DE 80 À 120 €

⑪ **Quentin** – B5 - Leidsekade 89 - Tram 1, 2, 5, 7, 10 - ℘ (020) 626 21 87 - www. quentinhotels.com - 30 ch. Au bord d'un canal proche de Leidseplein, ce sympathique hôtel propose différentes chambres, certaines avec plafonds moulurés et vue sur le canal. Effort louable de décoration contemporaine.

DE 120 À 200 €

⑩ **NL Hotel** – B5 - Nassaukade 368 - Tram 13, 14, 17 - ℘ (020) 689 00 30 - www. nl-hotel.com - 10 ch. Cet hôtel design proche du Jordaan dispose de chambres conçues avec beaucoup de style par le designer néerlandais Edward van Vliet. Douillettes et variées, elles sont parfois étroites. La n° 4 bénéficie d'un petit jardin zen, la n° 5 d'une terrasse.

LUXE

② **Amstel** – E6 - Prof. Tulpplein 1 - Tram 7, 10 - ℘ (020) 622 60 60 - www. intercontinetal.com/ams-amstel - 62 ch. et 17 suites - 🖫. Cet oasis de bon goût s'étend au bord de l'Amstel. Les parties communes, salons et bibliothèque respirent le luxe et chacune des vastes chambres est somptueusement meublée. Le service, à la hauteur des lieux, attire les « grands » du monde…

Quartier des musées

DE 120 À 200 €

⑥ **De Filosoof** – A6 - Anna Vondel-straat 6 - Tram 1 - ℘ (020) 683 30 13 - www.hotelfilosoof.nl - 38 ch. Un hôtel de charme, cosy et intimiste à souhait, en bordure du Vondelpark. Chaque chambre est personnalisée et baptisée du nom d'un auteur ou d'un thème philosophique. Jardin et véranda.

Plantage et Oosterdok

MOINS DE 80 €

⑬ **Stayokay Zeeburg** – H5 - Timorplein 21 - Tram 7, 10, 14 - ℘ (020) 551 31 90 - www.stayokay.com. Cette récente auberge de jeunesse aménagée dans une ancienne école ne compte pas de dortoirs, mais des chambres pour 2 à 8 personnes à partager en famille ou entre amis. Décor moderne pétillant.

DE 80 À 120 €

⑫ **Rembrandt** – E4 - Plantage Middenlaan 17 - Tram 9, 14 - ℘ (020) 627 27 14 - www.hotelrembrandt.nl - 17 ch. À deux pas du zoo Artis, cette demeure patricienne abrite des chambres fraîches et fleuries. Celles donnant sur le jardin rivalisent avec la n° 8, où l'on dort sous une copie de La Ronde de nuit. Vous prendrez le petit-déjeuner dans la salle de réception (1880) aux boiseries originales.

DE 120 À 200 €

⑦ **Lloyd Hotel** – H3 - Oostelijke Handelskade 34 - Tram 26, 10 - ℘ (020) 561 36 36 - www.lloydhotel.com - 116 ch. Établi dans un ancien centre d'accueil pour émigrants, cet hôtel novateur propose des chambres classées de 1 à 5 étoiles. Toutes différentes, elles sont réparties autour d'un puits de lumière et d'une « ambassade culturelle », et offrent bien des surprises. Une curiosité inédite pour un séjour hors des sentiers battus !

Se restaurer

Les voyageurs à petit budget satisferont leur faim dans le centre historique qui regorge de gargotes. Et pourquoi ne pas essayer les **kiosques** à poisson établis sur les ponts ? Pour des déjeuners légers, sains et conviviaux, préférez les **eetcafés** (soupes, salades, tartes) des quartiers péricentraux, tel le Jordaan. Le copieux petit-déjeuner local peut parfois vous « tenir » jusqu'au soir… ou jusqu'à l'apéritif, véritable rituel local. Si quelques **restaurants** prévoient à midi une carte plus légère et moins onéreuse, la plupart ne sont ouverts que le soir – il est impératif de réserver pour les dîners. Retrouvez plus d'informations pratiques dans le paragraphe *Restauration p. 10*. La partie *Gourmandises p. 119* détaille les spécificités de la gastronomie hollandaise.

 Repérez les adresses ci-dessous sur le plan détachable, à l'intérieur de la couverture, grâce à des pastilles numérotées (ex. ① *). Les carroyages en rouge font référence au plan détachable.*

Centre historique et Quartier rouge

→DÉJEUNER

MOINS DE 10 €

㊹ **Stubbe's Harring** – D2 - *Singel -* 🚌 *18, 21 - mar.-sam. 11h-17h30.* Situé sur le pont qui relie Nieuwendijk à Haarlemmerstraat, ce kiosque propose *maatjes* et autres anguilles, très frais, qui s'avalent avec un peu d'oignon ciselé et du pain.

DE 10 À 25 €

⑱ **De Bakkerswinkel** – D3 - *Warmoesstraat 69 -* 🚋 *4,5 - ℘ (020) 489 80 00 - www.debakkerswinkel.nl - mar.-sam. 8h-18h, dim. 10h-17h.* Dans une rue piétonne un peu interlope, une sympathique adresse où il est difficile de résister devant le buffet de tartes et de tartines. Les confitures maison sont à se pâmer…

㊶ **Kantjil en de Tiger** – C4 - *Spuistraat 291-293 -* 🚋 *1, 2, 5 - ℘ (020) 620 09 94 - lun.-ven. 16h30-23h, w.-end 12h-23h.* Cet établissement reconnu permet de découvrir la cuisine indonésienne sans se ruiner. En plus du service rapide et efficace, vous apprécierez le copieux *rijsttafel* (pour 2 pers.) ou les plus raisonnables *rames*.

→DÎNER

DE 10 À 25 €

㉖ **Café Bern** – D3 - *Nieuwmarkt 9 -* Ⓜ *Nieuwmarkt - ℘ (020) 622 00 34 - tlj 18h-23h - fermé un mois mi-juil.-mi-août.* Dans ce vieux café brun à l'ambiance digne d'un tableau de Jan Steen, on se restaure à la bonne franquette de fondues au fromage ou à la viande (à faire revenir dans le beurre à l'ail…). Réserver.

㊵ **Humphrey's** – D2 - *Nieuwezijds Voorburgwal / Nieuwezijds Kolk 23 -* 🚋 *1, 2, 5 - ℘ (020) 422 12 34 - www.humphreys. nl - 17h-22h, vend.-sam. 22h30.* Un restaurant apprécié pour son bon rapport qualité-prix et son large choix de plats hollandais modernes. Cadre à l'ancienne dans un vieil entrepôt.

25

DE 25 À 40 €

(36) **Haesje Claes** – **C4** - *Spuistraat 275* - Tram *1, 2, 5* - *(020) 624 99 98* - *www.haesjeclaes.nl* - *12h-22h*. En pénétrant dans ces trois maisons du 16e s., vous choisissez la simple mais solide cuisine traditionnelle. En hiver, réchauffez-vous autour d'un *stamppot* à base de saucisse, lard, légumes et pommes de terre.

(39) **Harkema** – **D4** - *Nes 67* - Tram *4, 9* - *(020) 428 22 22* - *www.brasserieharkema.nl* - *11h-1h*. Le décor épuré de cet ancien entrepôt de tabac est signé Ronald Hooft et Herman Plast. On s'y presse pour déguster une cuisine internationale sans surprise mais correcte.

(42) **Kapitein Zeppos** – **D4** - *Gebed Zonder End 5* - Tram *4,9* - *(020) 624 20 57* - *www.zeppos.nl* - *lun.-jeu. 12h-1h, vend.-sam. 12h-2h, dim. 12h-0h*. Un endroit aux airs de guinguette, caché dans une ruelle et baptisé en mémoire d'un héros d'une série TV belge des années 1960. Vous y dégusterez des sandwichs le midi et de plats plus élaborés en soirée.

PLUS DE 40 €

(62) **D'Vijff Vlieghen** – **C4** - *Spuistraat 294-302* - Tram *1, 2, 5* - *(020) 530 40 60* - *www.thefiveflies.com* - *18h-22h*. Les « cinq mouches », ce sont cinq maisons du 17e s. transformées en un labyrinthe de petites salles à manger rustiques et charmantes où l'on déguste une très bonne cuisine néerlandaise revisitée au goût du jour. Belle sélection de genièvres et de liqueurs.

(60) **Supper Club** – **C3** - *Jonge Roelensteeg 21* - Tram *1, 2, 5* - *(020) 344 64 00* - *www.supperclub.nl* - *tlj 20h-0h*. Allongé à la romaine, vous savourez un dîner surprise rythmé par la musique des DJ's et entrecoupé de diverses performances. Le mot d'ordre de cette expérience : « tout peut arriver. » Ultra-branché et sur réservation uniquement !

Les canaux nord

➔DÉJEUNER

DE 10 À 25 €

(25) **Buffet van Odette & Yvette** – **C4** - *Herengracht 309* - Tram *1, 2,5* - *(020) 423 60 34* - *www.buffet-amsterdam.nl* - *lun., merc.-ven. 8h30-16h30, w.-end 10h-17h30*. Des produits bio, provenant des fermes environnantes, entrent dans la préparation de sandwichs, soupes et salades inoubliables. La salle de poche, conviviale et lumineuse, se prolonge d'une petite terrasse en été.

(20) **De Bolhoed** – **C2** - *Prinsengracht 60-62* - Tram *13, 14* - *(020) 626 18 03* - *12h-21h30 (sam. 11h)*. Une adresse colorée, dans le décor comme dans les assiettes. La cuisine du monde végétarienne, biologique et copieuse, y est servie dans une ambiance détendue et sous la surveillance d'un beau chat roux.

➔DÎNER

PLUS DE 40 €

(33) **Envy** – **C3** - *Prinsengracht 381* - Tram *13, 14* - *(020) 344 64 07* - *www.envy.nl* - *18h-23h et à midi du vend. au dim.* Cuisine moderne et inventive servie en portions réduites afin que les convives puissent tester un maximum de ces petites créations délicates. Côté décor, style intimiste et cuisine ouverte.

Le cadre minimaliste du restaurant l'Envy (voir ci-dessus).

Les canaux sud

→DÉJEUNER

DE 10 À 25 €

⑥ **Wagamama** – **B5** - *Max Euweplein 10* - 🚊 *1, 2, 5, 7, 10* - ☎ *(020) 528 77 78 - www.wagamama.nl - 12h-22h, jeu.-sam. 23h.* Grande cantine japonisante, où l'on partage de longues tablées avec une clientèle jeune et branchée.

→DÎNER

DE 25 À 40 €

⑥ **Tempo Deloe** – **D5** - *Utrechtsestraat 75* - 🚊 *4, 6, 7* - ☎ *(020) 625 67 18 - tlj sf dim. 18h-23h30.* Cette élégante petite table indonésienne se cache derrière une façade discrète depuis plusieurs décennies et sert des *rijsttafel*, plébiscités par la clientèle. Réserver.

PLUS DE 40 €

⑤ **Pygmalion** – **C5** - *Nieuwe Spiegelstraat 5A* - 🚊 *1, 2, 16, 24* - ☎ *(020) 420 70 22, www.pygmalion. com - mar.-dim. 11h-23h.* Les curieux s'attableront dans cette petite salle design, pour découvrir une cuisine sud-africaine tout en sucré-salé et en viandes « safari » (crocodile, zèbre, oryx, springbok).

⑤ **La Rive** – **E6** - *Hôtel Amstel, Prof. Tulpplein 1* - Ⓜ *Weesperplein* - ☎ *(020) 520 32 64 - mar.-sam 12h-14h, 18h30-22h30 (ven. et sam. le soir seulement) - fermé 1er-15 août.* Ambiance feutrée, décor raffiné, service irréprochable et vue sur le canal subliment l'excellente cuisine du lieu. Carte gastronomique à la fois classique et inventive et cave de grand seigneur ! Réserver.

Jordaan et Westerdok

→DÉJEUNER

MOINS DE 10 €

⑤ **Small World** – **C1** - *Binnen Oranje-straat 14* - 🚌 *18, 22* - ☎ *(020) 420 27 74 - mar.-sam. 10h30-20h, dim. 12h-20h.* L'une des meilleures cantines de la ville, où les préparations originales s'accompagnent de cocktails de fruits frais.

DE 10 À 25 €

Café-Restaurant Amsterdam – Hors plan (voir plan détaillé p. 77) - *Watertorenplein 6* - 🚊 *10*, 🚌 *18* - ☎ *(020) 682 26 66 - dim.-jeu. 10h30-22h30, vend.-sam. 10h30-23h30.* Cette brasserie, aménagée dans une ancienne station de pompage, enchante par son décor et non par ses plats sans surprise.

㉜ **Eetcafe Roserijn** – **C1** - *Haarlemmerdijk 52* - 🚌 *18, 21* - ☎ *(020) 626 80 27 - 12h-16h, 19h-23h30.* Voici l'exemple type du bistro de quartier, populaire et sans prétention. Midi ou soir, le menu a de quoi contenter tout le monde : de la moussaka végétarienne au foie braisé aux lardons et oignons.

→DÎNER

DE 25 À 40 €

㊽ **Lof** – **C2** - *Haarlemmerstraat 62* - 🚌 *18, 22* - ☎ *(020) 620 29 97 - mar.-dim. 19h-23h.* Un soupçon d'Orient, beaucoup de créativité et un menu 3 plats qui change selon le marché. Une adresse discrète chaudement recommandée !

PLUS DE 40 €

㉔ **Bordewijk** – **C2** - *Noordermarkt 7* - 🚊 *1, 2, 5* - ☎ *(020) 624 38 99 - www. bordewijk.nl - mar.-dim. 18h30-22h30.*

28

Oubliez l'austérité du décor industriel de cette adresse courue et concentrez-vous sur l'excellente cuisine d'inspiration française concoctée avec talent.

Quartier des musées et De Pijp

➜DÎNER

DE 10 À 25 €

⑲ **Bazar** – D7 - *Albert Cuypstraat 182 -* 🚊 *16, 24 -* 🅟 *(020) 675 05 44 - www. bazaramsterdam.nl - lun.-jeu. 11h-1h, vend. 11h-2h, sam. 9h-2h, dim. 9h-0h.* Ce café-brasserie est à l'image de ce quartier : multiculturel. Sous les hautes voûtes d'une ancienne église, entre mosaïques et moucharabiehs, on vous sert une cuisine turque et maghrébine, copieuse et bon marché.

PLUS DE 40 €

㉞ **Le Garage** – C7 - *Ruysdaelstraat 54 -* 🚊 *16, 24 -* 🅟 *(020) 679 71 76, www. restaurantlegarage.nl - lun.-vend. 12h-14h, 18h-23h, w.-end 18h-23h.* Ambiance artistique et effervescence cosmopolite dans cette brasserie moderne où les vedettes locales se pressent autour d'une cuisine française. Réserver.
㉖ **Yamazato** et **Ciel Bleu** – C8 - *Hôtel Okura, Ferdinand Bolstraat 333 -* 🚊 *12, 25 -* 🅟 *(020) 678 71 11 - www. okura.nl - 12h-21h30.* Ces deux restaurants étoilés se côtoient au sein d'un palace nippon. Dans le premier, vous dégusterez des plats traditionnels japonais, parfaitement préparés. Le second, moderne et cosy, propose une cuisine créative de haute volée. Réserver.

Jodenbuurt, Plantage et Oosterdok

➜DÉJEUNER

MOINS DE 10 €

㊲ **Soup en Zo** – D4 - *Jodenbreestraat 94 -* Ⓜ *Waterlooplein -* 🅟 *(020) 422 22 43 - lun.-vend. 11h-20h, w.-end. 12h-19h.* Venez partager ici la passion locale pour les soupes du monde. Cet établissement de poche en concocte une dizaine à consommer sur place ou à emporter.

DE 10 À 25 €

㉘ **De Cantine** – H3 - *Rietlandpark 373 -* 🚊 *10, 26 -* 🅟 *(020) 419 44 33 - www. decantine.nl - 10h-1h, vend.-sam. 3h.* Voisin de l'hôtel Lloyd, ce café est à la fois un lieu culturel et une halte pour se sustenter de soupes (dont une à la cacahuète) et de salades.
㊾ **L'Orangerie** – E4 - *Hortus Botanicus, Plantage Middenlaan 2a -* 🚊 *9, 14 -* 🅟 *(020) 625 90 21 - www. dehortus.nl - lun.-vend. 9h-17h, sam.-dim. 10h-17h ; juil.-août 19h ; déc.-janv. 16h ; fermé 1ᵉʳ janv. et 25 déc.* Née en 1875, l'Orangerie du jardin botanique *(voir Visiter)* n'est accessible qu'aux visiteurs du jardin (entrée 7 €). Vous y dégusterez des sandwichs, des salades et des pâtisseries savoureuses. La plupart des produits proviennent des fermes environnantes.

DE 25 À 40 €

㊿ **La Place** – E2 - *Oosterdokskade 3 -* Ⓜ *Centraal station - 10h-22h - www.laplace.nl.* Au dernier étage panoramique de la nouvelle

29

bibliothèque, cette cafétéria met à l'honneur la cuisine du monde. Choix débordant, organisé en divers espaces culinaires. Il y en a pour tous les goûts ! Autre adresse, plus vaste, plus centrale et touristique : *Kalverstraat 203.*

➜ DÎNER

DE 10 À 25 €

㊼ **Koffiehuis van den Volksbond** – **E4** - *Kadijksplein 4 -* 🚌 *22,42 -* ℰ *(020) 622 12 09 - www. koffiehuisvandenvolksbond.nl - 18h-22h.* L'ancien café du parti communiste, où les ouvriers venaient toucher leur paye, a conservé son ambiance populaire. Cuisine généreuse et sans prétention qui se déguste en partageant sa table.

PLUS DE 40 €

De Kas – **Hors plan (voir plan détaillé p. 93)** - *Kamerlingh Onneslaan 3 -* 🚋 *9, arrêt Hogeweg,* 🚌 *59, 69 -* ℰ *(020) 462 45 62 - www.restaurantdekas.nl - lun.-vend. 12h-14h, 18h30-22h, sam. 18h30-22h.* Au milieu d'une serre maraîchère datant de 1926, le chef vous invite à découvrir un menu renouvelé de 3 plats issus de son riche potager.

㉟ **Greetje** - **E3** - *Peperstraat 23-25 -* 🚌 *22, 42 -* ℰ *(020) 779 74 50 - www. restaurantgreetje.nl - jeu.-dim. 17h30-22h (sam. 23h).* Le chef de cette adresse de charme rend un bel hommage aux produits hollandais (anguille, réglisse…), en les accommodant de manière inventive. Réserver.

Prendre un verre

Les cafés sont légion à Amsterdam mais tous se caractérisent par une ambiance chaleureuse, où l'on se restaure légèrement (dans les *eetcafés*), tout en consultant la presse mise à disposition. Chaque type de café permet au visiteur de découvrir différents aspects de la vie amstellodamoise. Les minuscules **cafés bruns** *(bruins cafés)*, anciens et authentiques (de vrais bric-à-brac parfois), doivent leurs nom à leurs murs brunis par le tabac depuis le 17e s. parfois. Concentrés dans le centre historique et le Jordaan, on y consomme de la bière et du genièvre. Les **proeflokalen**, variante des précédents, sont dédiés à la dégustation d'alcools

aromatisés souvent distillés sur place. Comme toute capitale, la cité des canaux regorge aussi d'adresses branchées, qui côtoient de sympathiques cafés de quartier (dits parfois « cafés blancs ») où la population s'adonne à un rituel immuable : l'**apéritif**. Moment de sociabilité par excellence, il se prend à la sortie du travail et, aux beaux, jours fait déborder les terrasses. Les derniers verres se prennent autour de Leidseplein *(voir p. 73)*, Rembrandtplein *(voir p. 69)* ou dans le Quartier Rouge, hauts lieux des nuits locales. Quant aux **coffee-shops**, il est également possible d'y boire un verre. Rappelons qu'il est désormais interdit d'y fumer du tabac.

L'étonnante terrasse sur pilotis du Cafe 't Smalle (voir p. 33).

Centre historique et Quartier rouge

Bar Bep – *Nieuwezijds Voorgburgwal 260 -* Tram *1, 2, 5 - tlj 16h30-1h, vend.-sam. 16h30-3h, dim. 11h-1h.* La bonne musique funky, hip-hop et world (DJ's les dim. et jeu. soir) fait le succès de ce petit bar au cadre rétro-design coloré apprécié des artistes en tous genres.

Café Stevens – *Geldersekade 123 -* M *Nieuwmarkt -* ℘ *(020) 620 69 70 - 10h-1h (ven.- sam. 3h).* Carte de boissons éclectique et belle vue sur la place la plus animée de la ville font de ce bar-salon une étape agréable.

De Bekeerde Suster – *Kloveniersburgwal 6-8 -* Tram *4, 9, 16 -* ℘ *(020) 433 01 12 - 12h-1h, vend.-sam. 12h-2h. En hiver, à partir de 15h.* Aménagé dans un ancien couvent, cet établissement qui brasse sa propre bière s'est donc baptisé « la sœur convertie » ! Dégustation entre alambic et fûts et ambiance pub-brasserie réussie.

De Dokter – *Rozenboomsteeg 4 -* Tram *1, 2, 4, 9, 14 -* ℘ *(020) 624 25 82 - mar.-sam. 16h-1h.* Ce café-capharnaüm minuscule de 18 m² fut fondé en 1798 par un chirurgien, d'où son surnom de « petit docteur ». Sa bonne sélection de whiskies attire avant tout les locaux.

De Drie Fleschjes – *Graven-straat 18 -* Tram *1, 2, 4, 9, 14 -* ℘ *(020) 624 84 43 - lun.-dim. 14h-20h30.* Le proeflokaal « les trois flacons » est un comptoir de dégustation de liqueurs bataves. Le lieu ne semble pas avoir changé depuis 1650 !

De Jaren – *Nieuwe Doelenstraat 20-22 -* Tram *4, 9, 16, 24 -* ℘ *(020) 625 57 71 - dim.-jeu. 10h-1h, vend.-sam. 10h-2h.* Avec son décor contemporain, ses carrelages multicolores et ses baies vitrées donnent sur l'Amstel, ce café s'impose comme l'un des plus jolis et populaires de la ville !

Dampkring – *Handboogstraat 29 -* Tram *1, 2, 5 -* ℘ *(020) 638 07 05 - lun.-jeu. 10h-1h, vend.-sam. 10h-2h, dim. 11h-1h.* La décoration psychédélique et l'ambiance conviviale de ce coffee-shop lui attirent les faveurs des Amstellodamois et des cinéastes, puisque c'est ici que furent tournées certaines scènes d'*Ocean's Twelve*.

Gollem – *Ramsteeg 4 -* Tram *1, 2, 5 - 16h-1h, vend.-sam. 16h-2h.* Bar exigu au décor hétéroclite dont les 200 bières, en majorité belges, s'emploient à vous désaltérer.

Greenhouse – *Oudezijds Voorburgwal 191 -* Tram *4, 9 -* ℘ *(020) 716 38 34 - tlj 9h-1h.* Au cœur du Quartier rouge, ce coffee-shop où touristes et locaux se mêlent compte parmi les plus renommés de la ville.

In't Aepjen – *Zeedijk 1 -* M *Centraal station - 15h-1h, vend.-sam. 15h-3h, dim. 11h-1h.* Installé au rez-de-chaussée de l'une des dernières maisons en bois de la ville, ce bar de 1550 doit son nom, « Au petit singe », à l'animal que les marins étaient supposés rapporter au patron quand ils ne pouvaient payer leur consommation. À ne pas manquer !

Latei – *Zeedijk 143 -* M *Nieuwmarkt -* ℘ *(020) 625 74 85 - lun.-merc. 8h-18h, jeu.-vend. 8h-22h, sam. 9h-22h, dim. 11h-18h.* Amusant café-brocante où thé, café et bonnes pâtisseries se dégustent au milieu d'un bric-à-brac des années 1960-1970 entièrement à vendre.

Les canaux nord

De Pels – *Huidenstraat 25 -* 🚋 *1, 2, 5 -* ☎ *(020) 622 90 37 - 10h-1h (ven.- sam. 3h).* Au cœur des neuf ruelles, ce bar à l'ancienne rassemble *Provos*, intellectuels et journalistes.

De Zotte – *Raamstraat 29 -* 🚋 *1, 2, 6, 7 -* ☎ *(020) 626 86 94 - dim.-jeu. 16h-1h, vend.-sam. 14h-3h.* Les amateurs de bières belges se retrouvent dans ce petit bar hors des sentiers battus.

Spanier van Twist – *Leliegracht 60 -* 🚋 *13, 14 -* ☎ *(020) 639 01 09 - 10h-23h.* Cette adorable terrasse s'étire si près du canal que l'on peut toucher du doigt les péniches ! Idéal pour prendre l'apéritif.

Les canaux sud

ARC – *Reguliersdwarsstraat 44 -* 🚋 *1, 2, 16 -* ☎ *(020) 689 70 70 - 16h-1h (ven.-sam. 4h).* Ce haut lieu du Amsterdam gay attire une clientèle variée grâce à son ambiance chic et ses cocktails.

Café américain – *Leidsekade 97 -* 🚋 *1, 2, 5, 7, 10 -* ☎ *(020) 556 30 00 - 7h-23h.* Monument amstellodamois, cette magnifique brasserie, dans laquelle s'assoit une clientèle hétéroclite qui ne redoute pas les tarifs élevés entretient une atmosphère « Belle Époque ».

Jordaan et Westerdok

De Blaffende Vis – *Westerstraat 118 -* 🚋 *1, 2, 3, 10 -* ☎ *(020) 625 17 21 - dim.- jeu. 8h30-1h, vend.-sam. 8h30-3h.* Le « poisson qui aboie », sympathique café de quartier, est connu de tous pour sa création artistique et humoristique lors de la fête de la Reine.

Papeneiland – *Prinsengracht 2 -* 🚋 *1, 2, 5, 10 -* ☎ *(020) 624 19 89 - 10h-2h, vend.-sam. 3h.* Ce café brun de 1641, très fréquenté par les anciens, occupe une situation parfaite pour observer le va-et-vient des bateaux et des piétons. L'intérieur, avec ses carreaux de faïence de Delft et son plancher qui craque, possède un charme fou.

't Smalle – *Egelantiersgracht 12 -* 🚋 *13, 17 -* ☎ *(020) 623 96 17 - 10h-1h, vend.-sam. 10h-2h.* La terrasse sur pilotis de ce café brun de 1786 (une ancienne distillerie) devient, les soirs d'été, le point d'amarrage des plaisanciers aux embarcations luxueuses.

Twee Zwaantjes – *Prinsengracht 114 -* 🚋 *1, 2, 5, 14 -* ☎ *(020) 625 27 29 - 15h-1h, (ven.-sam. 3h).* En fin de semaine, la bière bue sans retenue et la musique entraînante aident la clientèle assez branchée à recréer l'atmosphère surchauffée d'un bar de marins.

Winkel – *Noordermarkt 43 -* 🚋 *1, 2, 5, 10 -* ☎ *(020) 623 02 23 - lun.-jeu. 8h1h, vend.-sam. 8h-3h, dim. 10h-1h.* Animé lors des marchés, ce café résume l'âme du Jordaan. Vous y dégusterez une succulente tarte aux pommes ! Il se mue en bar jeune et animé les soirs de week-end. Son voisin le **Proust** (*Noordemarkt 4 - lun. 8h-1h, mar.-ven. et dim. 12h-1h, sam. 10h-3h*) est aussi conseillé.

Quartier des musées et De Pijp

Café Krull – *Sarphatipark 2 -* 🚋 *3, 4 -* ☎ *(020) 662 02 14 - tlj 9h-1h.* Ce café de quartier, bien loin de l'agitation touristique, attire une clientèle aussi variée que la musique diffusée.

't Blauwe Theehuis – *Vondelpark 5 -* 🚊 *1, 2, 6 -* ✆ *(020) 662 02 54 - 9h-0h.* Qu'il fait bon se prélasser aux terrasses circulaires de cette soucoupe volante posée au milieu du Vondelpark. Service de restauration et DJ's le dim. apr.-midi.

Yo-Yo – *Tweede Jan van der Heijdenstraat 79 -* 🚊 *3, 4 -* ✆ *(020) 664 71 73 - lun.-sam. 12h-19h.* Loin des rues touristiques, ce coffee-shop-bio-galerie d'art attire des habitués qui viennent volontiers passer quelques heures à lire ou à écrire.

Jodenbuurt et Oosterdok

Brouwerij't IJ – *Funenkade 7 -* 🚊 *10,* 🚌 *2 -* ✆ *(020) 3201 786 - 15h-20h.* Au pied du moulin De Gooyer, cette brasserie

artisanale a investi d'anciens bains publics. Passé l'enseigne figurant une autruche, vous pourrez déguster des bières standard ou de saison.

De Sluyswacht – *Jodenbreestraat 1 -* Ⓜ *Waterlooplein -* ✆ *(020) 625 76 11 - lun.-jeu. 11h30-1h, vend.-sam. 11h30-3h, dim. 11h30-19h.* Au bord d'un canal, ce petit café semble surveiller l'écluse voisine. Attention, ce n'est pas l'excès d'alcool, c'est bien la maison (1695) qui penche !

Koffiehuis KHL – *Oostelijke Handelskade 44 -* 🚊 *10, 26 -* ✆ *(020) 779 15 75 - jeu.-ven. 11h-22h, sam.-dim. 12h-22h.* Aménagé dans l'ancienne cantine de la compagnie de navigation Royal Holland Lloyd, voici une halte bienvenue lorsque l'on parcourt ce quartier, chéri des amateurs d'urbanisme.

Sortir

L'éclectique programmation culturelle est à la hauteur de cette capitale multiple. Les lieux de sorties se répartissent dans tout le centre-ville avec une forte concentration autour de Leidseplein *(voir p. 73)* et Rembrandtplein *(voir p. 69)*. Tous les événements (musique, théâtre, cinéma, fête) sont détaillés dans *Amsterdam Weekly* (www.amsterdamweekly.nl - hebdomadaire gratuit) et *Day by Day* (mensuel - 1,95 €). Autres sites d'information : www.amsterdammusicdance.com Vous pouvez **acheter vos tickets** à l'avance auprès du bureau de l'AUB

(Amsterdams Uitburo - Leidseplein 26 - ✆ 0 900 01 91 - www.uitburo.nl - lun.-sam. 10h-19h30, dim. 12h-19h30).

Centre historique et Quartier rouge

De Steeg – Non loin du Spui, les ruelles Voetboogstraat et Handboogstraat (🚊 *1, 2, 5*), surnommées De Steeg (« l'allée »), rassemblent les clubs et bars étudiants comme **Meander** *(Voetboogstraat 3 -* ✆ *(020)625 84 30 - www.cafemeander. com - jeu. 22h-3h, vend.-sam. 22h-4h, lun. 22h-3h),* réputé pour ses concerts rock, jazz, blues, salsa, etc.

Frascati – *Nes 63 -* 🚋 *9, 14 - ☎ (020) 625 54 55 - www.indenes.nl*. Depuis les années 1960, des dizaines de talents ont éclos sur cette scène où artistes de rue ou traditionnels se rencontrent. Danse, DJ's, théâtre…

Les canaux sud

Escape – *Rembrandtplein 11 -* 🚋 *4 - ☎ (020) 622 11 11 - www.escape.nl - jeu. et dim. 23h30-4h, vend.-sam. 23h30-5h*. Vaste discothèque aux soirées techno et house menées par des DJ's du monde entier.

Kamer 401 – *Marnixstraat 401 -* 🚋 *1, 2, 5 - ☎ (020) 620 06 41 - www.kamer401.nl - merc.-jeu. 18h-1h, ven.-sam. 18h-3h*. Plus qu'un simple bar où se donnent rendez-vous artistes et étudiants branchés, le Kamer 401 est un lieu qui déborde d'énergie quand les DJ's prennent les commandes.

Melkweg – *Lijnbaansgracht 234 A -* 🚋 *1, 2, 5, 7, 10 - ☎ (020) 531 81 81, www. melkweg.nl. Horaires et tarifs variables selon la programmation*. La « voie lactée » est un centre multiculturel alternatif très dynamique (concerts, cinéma, danse, DJ's), aménagé dans une ancienne laiterie.

Paradiso – *Weteringschans 6-8 -* 🚋 *1, 2, 5, 7, 10 - ☎ (020) 626 45 21 - www. paradiso.nl. Horaires et tarifs variables selon la programmation*. Ancienne église néo gothique convertie en salle de concert depuis 1968, le Paradiso est un nom mythique pour les amateurs de rock-pop et de techno. Il accueille tout type de concerts, des grandes stars internationales aux DJ's locaux.

Tuschinski Theater – *Reguliersbreestraat 34-36 -* 🚋 *4 - ☎ 0 900 14 58 - www.tuschinski.nl*. Films en VO à découvrir dans un superbe cinéma Art nouveau.

De Pijp

De Badcuyp – *Eerste Sweelinckstraat 10 -* 🚋 *3, 4, 12, 16 - ☎ (020) 675 96 69 - www.badcuyp.nl - mar.-jeu. 13h-1h, vend.-sam. 13h-3h - fermé en août*. Ce petit café-concert du très cosmopolite quartier De Pijp attire une clientèle fidèle grâce à sa programmation de musiques du monde.

Jordaan et Westerdok

Maloe Melo – *Lijnbaansgracht 163 -* 🚋 *7, 10, 14 - ☎ (020) 420 45 92 - www. maloemelo.nl - 21h-3h, vend.-sam. 21h-4h*. Petit mais très réputé club de blues.

Westergasfabriek – *Haarlemmerweg 8 -* 🚋 *10 - ☎ (020) 586 07 10 - www. westergasfabriek.com*. Usine à gaz du 19e s. reconvertie en vaste parc culturel.

Quartier des musées

Concertgebouw – *Concertgebouwplein 2 -* 🚋 *2, 5 - ☎ (020) 671 83 45 - www. concertgebouw.nl*. Le temple de la musique classique à Amsterdam.

Plantage et Oosterdok

Arena – *'S Gravesandestraat 51 -* 🚋 *3, 6, 9, 14 - ☎ (020) 850 24 00 - www. hotelarena.nl. Se renseigner pour les horaires*. Le club de l'hôtel Arena doit sa notoriété à la superbe chapelle qui lui sert de cadre et à sa programmation :

DJ's locaux et internationaux, soirées 80's, 90's, salsa, électro, pop, etc.
Muziekgebouw aan't IJ – *Piet Heinkade 1 -* 🚋 *25, 26 -* ☎ *(020) 788 20 00 - www.muziekgebouw.nl.* Cette salle de concert aux lignes contemporaines (2005) s'adresse en priorité aux amateurs de musique classique et contemporaine. Les soirées jazz ont lieu au mythique **Bimhuis** *(*☎ *788 21 88 50, www.bimhuis.nl),* référence depuis 30 ans.
Panama – *Oostelijke Handelskade 4 -* 🚋 *10, 26 –* ☎ *(020) 311 86 86 - www. panama.nl - horaires variables selon programmation.* Installé dans une centrale électrique désaffectée, le restaurant-théâtre-club (soirées latino-caribéenne, funk, techno, jazz) a inscrit les îles orientales sur les cartes des noctambules amstellodamois.
Tropentheater – *Mauritskade 63 / Linnaeusstraat 2 -* 🚋 *3, 7, 9, 10, 14 -* ☎ *(020) 568 85 00 - www.tropentheater. nl.* Au sein du Tropenmuseum *(voir p. 96),* superbe programmation (concerts, théâtre, danse, débats, films) pour découvrir toutes les cultures.

Shopping

Fromages bien différents des produits hollandais vendus dans nos boutiques. Chocolats et **genièvres** aux parfums inattendus. Cafés et thés de qualité, héritage du commerce de la Compagnie des Indes orientales. Mode et **design** inventifs, faïence de Delft, antiquités, bulbes de fleurs et innombrables boutiques insolites… Les tentations sont multiples et Amsterdam vous donnera la fièvre acheteuse ! La partie « Pour en savoir plus » présente plus en détail quelques-unes de ces spécialités hollandaises.
Les principaux terrains de jeu des amateurs de shopping sont les axes piétons **Nieuwendijk-Dam-Kalverstaat** et **Leiderstraat**. Bordés de boutiques de mode et de grands magasins, ils ressemblent à n'importe quels axes commerçants des grandes villes d'Europe. Plus originale et plus intimiste, la charmante zone De Negen Straatjes (**Les Neuf Ruelles**, *p. 64*) rassemble une kyrielle de petite boutiques de mode, de décoration, d'objets insolites, séparées par de sympathiques cafés. Dans le même genre, n'hésitez pas à arpenter Haarlemmerstraat et Haarlemmerdijk *(voir p. 78)* et les rues du Jordaan, où vous trouverez d'excellentes confiseries, des boutiques de mode et des galeries d'art. Les amateurs d'objets anciens trouveront leur bonheur chez les antiquaires du **Spiegelkwartier** *(voir p. 72).* Enfin, pour un shopping plus sélect, rendez-vous dans les boutiques de luxe et chez les créateurs de mode de la **P. C. Hooftstraat**.
Ne manquez pas les formidables **marchés** amstellodamois, de Albert Cuypmarkt *(voir p. 88)* le plus long d'Europe, à Boerenmarkt *(voir p. 40 et p. 76)* idéal pour goûter et acheter d'excellents fromages.

Boutiques en tout genre pour faire des emplettes au fil des rues.

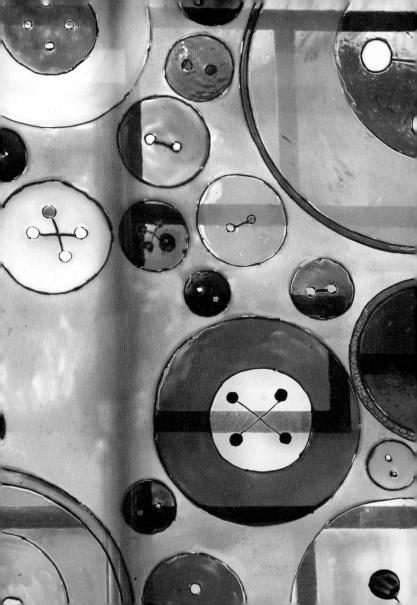

Les périodes de soldes sont les mêmes qu'en France. Mais la St-Nicolas étant plus importante que Noël, vous pourrez faire de bonnes affaires dès décembre. Pour les **horaires** des magasins, voyez le paragraphe *Horaires p. 8.*

Centre historique et Quartier rouge

MARCHÉS ET RUES MARCHANDES

Kalverstraat et **Nieuwendijk** sont les principales rues commerçantes du quartier : Zara, H&M, Mango, etc., mais aussi le grand magasin De Bijenkorf *(Dam 1 - ℘ 0 900 09 19 - lun. 11h-19h, mar.-merc. 9h30-19h, jeu.-vend. 9h30-21h, sam. 9h30-19h, dim. 12h-18h),* réponse locale aux Galeries Lafayette.

Postzegelmarkt – *Nieuwezijds Voorburgwal 276 -* Tram *1, 2, 5, 13 - merc. et sam. 9h-16h.* Petit marché, rendez-vous des numismates et philatélistes.

GOURMANDISES

Cracked Kettle – *Raamsteeg 3 -* Tram *1, 2, 5 - ℘ (020) 624 07 45 - www. crackedkettle.com - 12h-22h.* Dans cette petite boutique en bois, vous trouverez plus de deux cents sortes de bière en bouteille, principalement belges.

Geels & Co G – *Warmoesstraat 67 -* Tram *4, 9, 16 - ℘ (020) 624 06 83 - www.geels.nl - tlj sf dim. 9h30-18h.* Les vrais amateurs de thé et de café trouveront leur bonheur dans cette brûlerie inchangée depuis 1864. Magnifiques boîtes à thé chinoises au-dessus du comptoir et petit musée *(sam. 14h-16h - gratuit).*

Oud Amsterdam – *Nieuwendijk 75 - www.oudamsterdam.nl - fermé dim.*

Boutique de liqueurs locales proposant de nombreuses variétés de genièvres et d'alcools fruités.

DESIGN

Droog Design – *Staalstraat 7a -* Tram *4, 9, 16 - ℘ (020) 523 50 50 - www. droogdesign.nl - mar.-sam. 12h-18h.* Grand nom du design néerlandais, « Design sec » a pour mot d'ordre : « Que la simplicité ne soit pas ennuyeuse. »

SANTÉ ET BIEN-ÊTRE

Condomerie – *Warmoesstraat 141 -* Tram *4, 9, 16 - ℘ (020) 627 41 74 - www. condomerie.com - lun.-sam. 11h-18h.* Installé dans le Quartier rouge depuis 1987, ce magasin propose plus de 120 modèles de préservatifs, de toutes les formes et de toutes les couleurs.

Jacob Hooy & Co – *Kloveniersburgwal 10-12 -* M *Nieuwmarkt - ℘ (020) 624 30 41 - www.jacobhooy.nl - lun. 13h-18h, mar.-vend. 10h-18h, sam. 10h-17h.* La même famille tient depuis 1743 cette herboristerie médicinale et culinaire.

LIVRES

Athenaeum – *Spui 14-16 -* Tram *1, 2, 5 - ℘ (020) 514 14 60 - www.athenaeum.nl - lun.-merc. 9h30-18h, jeu. 9h30-21h, vend.- sam. 9h30-18h, dim. 12h-17h30.* Cette librairie propose des journaux étrangers et nombre d'ouvrages sur Amsterdam.

Oude Manhuispoort – *Entre Kloveniersburgwal et Oudezijds Achterburgwal -* Tram *4, 9, 16 - 10h-18h - fermé dim.* Point de ralliement des bibliophiles, entre deux canaux.

TABAC ET CIGARES

P.G.C. Hajenius – *Rokin 92 -* Tram *4, 9, 16, 24 - ℘ (020) 623 74 94 - lun. 12h-18h,* *mar.-sam. 9h30-18h, dim. 9h30-17h.* Ce prestigieux magasin de style Art déco (1915) ravit les amateurs de cigares et les fumeurs de pipes depuis 1826. Luxueux salons de dégustation.

GALERIE HISTORIQUE

Magna Plaza – *Nieuwezijds Voorburgwal 182* - 🚊 *1, 2, 5, 14 - www. magnaplaza.nl - lun. 11h-19h, mar.-merc. 10h-19h, jeu. 10h-21h, vend.-sam. 10h-19h, dim. 12h-19h.* Luxueuse galerie commerciale aménagée dans l'édifice de l'ancien bureau de poste *(voir p. 52).*

INSOLITE

Jan Jansen – *Rokin 42* - 🚊 *4, 9, 16 - ℰ (020) 625 13 50 - www.janjansenshoes. com - mar.-sam. 11h-18h.* Créateur renommé dès les années 1970, Jan Jansen continue d'étonner avec ses chaussures extravagantes. Tarifs plus doux au magasin de déstockage du quartier des musées *(Roelof Hartstraat 16* - 🚊 *3, 12, 24 - ℰ (020) 470 01 16 - mar.-sam. 11h-17h30).*

Joe's Vliegerwinkel – *Nieuwe Hoogstraat 19* - Ⓜ *Nieuwmarkt - ℰ (020) 625 01 39 - mar.-sam. 12h-17h.* Si le vent d'Amsterdam vous inspire, vous trouverez ici toutes sortes de cerfs-volants pour colorer le ciel.

Les canaux nord et sud

MARCHÉS ET RUES MARCHANDES

Pour un shopping original et insolite, rendez-vous dans les boutiques de décoration et de vêtements des **Neuf Ruelles** (voir *De Negen Straatjes* p. 64), ainsi que sur Prinsenstraat et Herenstraat. Pour retrouver toute la mode internationale, suivez la foule sur **Leidsestraat (**nocturne le jeudi jusqu'à 21h). Enfin, les passionnés d'antiquités se précipiteront vers **Spiegelkwartier**. **Marché aux fleurs** – *Singel -* 🚊 *1, 2, 5, 16, 24 - lun.-vend. 9h-18h, sam. 9h-17h (voir Bloemenmarkt p. 66).*

GOURMANDISES

De Kaas Kamer – *Runstraat 7* - 🚊 *1, 2, 5 - ℰ (020) 623 34 83 - lun. 12h-18h, mar.-vend. 9h-18h, sam. 9h-17h, dim. 12h-17h.* Superbe magasin de fromages hollandais sélectionnés dans les meilleures fermes du pays. Conseils et dégustation.

Lanskroon – *Singel 385* - 🚊 *1, 2, 5 - ℰ (020) 623 77 43 - mar.-vend. 8h-17h30, sam. 9h-17h30, dim. 10h-17h30.* Succulente pâtisserie renommée pour ses *stroopwafels*, petites « gaufres » traditionnelles fourrées au miel.

Puccini – *Singel 184* - 🚊 *1, 2, 5, 13, 14 - ℰ (020) 427 83 41 - dim.-lun. 12h-18h, mar.-ven. 11h-18h.* L'un des meilleurs chocolatiers de la ville grâce à ses préparations classiques ou originales.

MUSIQUE

Concerto – *Utrechtsestraat 52* - 🚊 *4 - ℰ (020) 623 52 28 - lun.-sam. 10h-18h (jeu. 21h), dim. 12h-18h.* Sis dans des boutiques mitoyennes, voici LE disquaire de la ville.

MODE ET FRIPES

Koos & Tante Tini – *Keizersgracht 453 -* 🚊 *1, 2, 5 - ℰ (020) 880 00 75 - www. koos.biz - mar.-sam. 11h-18h.* Chaussures et sacs à main au design néerlando-japonais attrayant.

Laura Dols – *Wolvenstraat 6-7 -* 🚊 *1, 2, 5 - ℰ (020) 624 90 66 - www.*

39

lauradols.nl - lun.-sam. 11h-18h, dim. 13h-18h. Formidable sélection de fripes, élégantes, excentriques ou décontractées !

DÉCO ET DESIGN

Santa Jet – *Prinsenstraat 7 -* Tram *1, 2, 13 -* ℘ *(020) 427 20 70 - lun.-vend. 11h-18h, sam. 10h-17h, dim. 12h-17h.* Jolie boutique à l'atmosphère saturée d'encens, où s'accumule tout le kitsch mexicain : cadres multicolores, Vierges lumineuses…

The Frozen Fountain – *Prinsengracht 645 -* Tram *1, 2, 5 -* ℘ *(020) 622 93 75 - www. frozenfountain.nl - lun. 13h-18h, mar.-vend. 10h-18h, sam. 10h-17h.* Galerie-boutique de référence présentant les dernières créations des designers néerlandais et étrangers.

INSOLITE

De Witte Tanden Winkel – *Runstraat 5 -* Tram *1, 2, 5 -* ℘ *(020) 623 34 43 - lun. 13h-18h, mar.-vend. 10h-18h, sam. 10h-17h.* Cette amusante boutique propose un vaste choix de… brosses à dents (et dentifrices) originales.

Marañon – *Singel 488 -* Tram *1, 2, 5, 16, 24 -* ℘ *(020) 622 59 38 - lun. 12h-17h, mar.-dim. 10h-17h30.* Cette boutique a fait du hamac sa spécialité : nombreux modèles de tous styles et toutes origines.

Joordan et Westerdok

MARCHÉS ET RUES MARCHANDES

Marchés du Jordaan – La place Noordermarkt *(voir p. 76)* est le théâtre de deux beaux marchés. **Boerenmarkt** *(sam. 9h-16h -* Tram *3, 10)* est un adorable marché fermier et biologique, dont

les étals de fromages et le climat bon enfant vous laisseront de beaux souvenirs. Espace brocante et grand marché tout en longueur, plus général, sur le Lindengracht un peu plus loin. Le lundi (9h-15h), les fripiers prennent possession du Noordermarkt. Au sud du quartier, le beau marché couvert **De Looier** *(Elandsgracht 109 / Lijnbaans-gracht 193 -* Tram *6, 7, 10 - www.looier.nl - tlj sf vend. 11h-17h)* regroupe bon nombre d'antiquaires.

GOURMANDISES

Papabubble – *Haarlemmerdijk 70 -* Bus *18, 22 -* ℘ *(020) 626 26 62 - lun. 12h-18h, mar.-sam. 10h-18h.* Les effluves qu'exhale cette confiserie artisanale vous happent vers ses bonbons multicolores et multi-formes.

Unlimited Delicious – *Haarlemmerstraat 122 -* Bus *18, 22 -* ℘ *(020) 622 48 29 - www. unlimiteddelicious.nl - lun.-sam. 9h-18h.* Très en vogue, les délices chocolatés de la maison sont prisés pour leurs saveurs étonnantes, voire détonantes.

DÉCO ET DESIGN

Kitsch Kitchen – *Rozengracht 8-12 -* Tram *13, 14 -* ℘ *(020) 428 49 69 - lun.-vend. 10h-18h, dim. 12h-19h.* De la carte postale rétro, aux ustensiles de cuisine, en passant par les meubles, vous trouverez ici des centaines de gadgets et d'objets de décoration kitsch.

VINTAGE

Jutka & Riska – *Bilderdijkstraat 194 -* Tram *3, 12 -* ℘ *(061) 848 68 19 - www. jutkariska.com.* Bienvenue au paradis des fans d'articles vintage, ici classés… par couleurs.

Quartier des musées et De Pijp

MARCHÉS ET RUES MARCHANDES

Marché Albert Cuypmarkt – *Albert Cuypstraat -* Tram *4, 16, 24 - lun.-sam. 10h-18h.* Populaire et cosmopolite, le plus grand marché généraliste d'Amsterdam est aussi le plus long d'Europe.

P. C. Hooftstraat – Tram *2, 3, 5, 12.* La rue commerçante la plus élégante de de la ville, où s'alignent les enseignes de haute couture.

MODE

Marlies Dekkers – *Cornelis Schuytstraat 13 -* Tram *2 - ℘ (020) 471 41 46 - www.marliesdekkers.com - lun. 12h-18h, mar.-vend. 10h-18h, sam. 10h-17h.* La créatrice de maillots de bain et de lingerie qui a le vent en poupe.

Sjerpetine – *Eerste Van der Helststraat 33 -* Tram *4, 16, 24 - ℘ (020) 664 13 62 - lun. 12h-18h, mar.-sam. 10h-18h.* Un énorme choix de vêtements, conçus par des petits créateurs et sélectionnés à l'usine de confection. Pour tous les goûts et (presque) toutes les bourses.

ENFANTS

De Kinderfeestwinkel – *Eerste van der Helststraat 13-15 -* Tram *16, 24 - ℘ (020) 672 22 15 - lun.-vend. 10h-18h, sam. 10h-17h.* Une caverne d'Ali Baba qui déborde de gadgets, jeux et déguisements.

Jodenbuurt et Oosterdok

MARCHÉS ET RUES MARCHANDES

Waterlooplein markt – *Waterlooplein -* M *Waterlooplein - lun.-sam. 9h-17h.* Bibelots nostalgie, fripes, vieux vinyles… ce marché aux puces est un paradis pour chineurs depuis la fin du 19ᵉ s.

DIAMANTS

Gassan Diamonds – *Nieuwe Uilenburgerstraat 173-175 -* M *Waterlooplein - ℘ (020) 622 53 33, www.gassandiamonds.com - 9h-17h. Visite guidée gratuite d'env. 1h (plusieurs langues).* Cette taillerie de diamants fondée en 1879 occupe une bâtisse monumentale surmontée d'une haute cheminée en brique. Lors du parcours guidé, à but avant tout commercial, vous pourrez observer le travail des tailleurs. *Voir aussi p. 90.*

DÉCO ET DESIGN

Pol's Potten – *KNSM-laan 39 –* Tram *10, 26 - ℘ (020) 419 35 41 - www.polspotten. nl - mar.-sam. 10h-18h, dim. 12h-17h.* Important show room de design au cœur du laboratoire architectural de l'ancienne zone portuaire. D'autres belles boutiques de design vous attendent sur le même trottoir.

INSOLITE

Waterwinkel – *Roelof Hartstraat 10 -* Tram *3, 5, 12 - ℘ (020) 675 59 32 - lun.-vend. 10h-18h, sam. 10h-17h.* Unique choix d'eaux minérales provenant du monde entier. Poussez la porte de la boutique, ne serait-ce que pour détailler les diverses formes et couleurs des bouteilles.

41

L'Edam, un fromage tout en rondeur.

Visiter Amsterdam

Amsterdam aujourd'hui

À l'instar de Venise, Amsterdam fascine les visiteurs du monde entier par la dimension presque magique qu'offrent les cités bâties sur l'eau. Mais si la Sérénissime semble joliment figée dans le passé, la capitale néerlandaise attire autant pour ses alignements de demeures patriciennes du Siècle d'or, que pour ses projets architecturaux et programmes sociaux avant-gardistes. Jadis centre des arts, de la cartographie et du commerce intercontinental, Amsterdam rayonne toujours, et pas seulement dans les brochures touristiques. La grande cité sur pilotis s'adonne aussi à la technologie médicale, à des activités métallurgiques, graphiques et alimentaires, tandis que 40 000 étudiants fréquentent ses universités. Comme un symbole de cette continuité (malgré les épreuves), voyez la formidable simplicité des armes de la ville pourtant si anciennes, trois croix de St-André alignées sur un fond noir, désormais exploitées sur les enseignes, tee-shirts pour touristes, *Amstersammerttjes* (petites bornes), fanions de l'Ajax, etc. Un « logo » médiéval certes, mais toujours vendeur !

Tous les canaux ne se ressemblent pas – L'eau, le niveau de la mer plus ou moins au-dessus de la tête, des maisons flottantes, de la verdure, une planification soignée et des pistes cyclables, tels sont les ingrédients communs à tous les quartiers de la ville. Pourtant, chacun étant doté d'une identité très personnelle, le visiteur changera de « planète » plusieurs fois par jour.

Le **centre historique** aligne ses maisons de canaux, toujours étroites, jamais identiques qui, vues en grand-angles évoquent une dentition irrégulière. Elles se blottissent l'une contre l'autre à l'ombre de grands édifices : lieux du pouvoir, des échanges, du savoir, de la foi… et nouveaux temples de la consommation. Les néons du **Quartier rouge** brillent de jour comme de nuit et attirent les touristes voyeurs, là où les marins s'encanaillaient il y a six siècles déjà. Question d'image, la municipalité s'efforce d'y faire venir les amateurs d'art. La **Ceinture de canaux** s'étend comme une toile d'araignée autour du centre historique. Le long de ses axes aquatiques aux noms nobles, les opulentes maisons des marchands du Siècle d'or jouent à « qui est la plus belle ? » en contemplant leur reflet. S'y sont installées des boutiques de designers et de stylistes qui perpétuent la tradition créatrice d'Amsterdam. Le **Jordaan**, jadis territoire des ouvriers, n'a plus les pieds dans l'eau depuis le remblaiement de ses canaux insalubres. Mais ceux qui demeurent organisent les rues les plus charmantes de la cité en un gros village animé par des cafés, des épiceries et des marchés où s'entassent d'impressionnantes meules de fromages. Ici, on vit autant dans d'anciens entrepôts rénovés qu'au fond de charmants *hofjes* fleuris. **Jodenbuurt**, l'ancien quartier juif aujourd'hui si austère, symbolise la souffrance et les épreuves endurées par la ville et sa population lors de la Seconde Guerre mondiale. Les bords de l'IJ (**Oosterdok et Westerdok**), immense zone portuaire désertée par les cargos, offrent un paysage urbain que l'on aimerait considérer comme futuriste. Depuis les années 1990, les architectes laissent libre cours à leur imagination pour reconvertir des docks et créer des quartiers résidentiels modèles et colorés… Enfin, non loin des musées où les touristes du monde entier font la queue pour admirer les Vermeer, Rembrandt et Van Gogh, le quartier **De Pijp** illustre à lui seul Amsterdam la cosmopolite.

Terre d'accueil et de tolérance – La réputation de la Venise du Nord repose sur le principe de la tolérance. Loin de toute tentation protectionniste, la ville se serait rendue perméable aux idées, aux influences, aux autres, pour accompagner son épanouissement. Amsterdam permet pour mieux maîtriser, crée une marge de transgression autour de la ligne d'interdiction : diffusion des écrits et liberté religieuse depuis des siècles, tolérance de la prostitution et des drogues aujourd'hui.

L'histoire de la cité est jalonnée d'apports permanents de nouvelles communautés (et d'idées). Aujourd'hui 170 nationalités s'y côtoient : Turcs, Surinamiens, Marocains, Indonésiens, Créoles… 47 % des Amstellodamois sont étrangers. La municipalité a développé une politique anti discriminatoire ambitieuse pour favoriser leur intégration et contrer les tensions apparues ces dernières années.

Serez-vous jaloux ? – Tous les soirs vers 17h-18h, les Amstellodamois se réunissent pour des apéritifs conviviaux. Ils envahissent les terrasses sur les quais. Se réchauffent mutuellement autour des comptoirs minuscules des cafés bruns ou des *proeflokalen*. Ou sortent simplement un banc sur leur palier ou près du ponton de leur péniche… sous le regard envieux des touristes. Loin des banlieues plus tristes que l'on ne visite pas, ce style de vie amstellodamois fascine. On en vient à prendre la réserve naturelle des locaux pour de l'arrogance. On en devient jaloux devant ces quartiers bien conçus, ces petits *eetcafés* si bien approvisionnés en produits bio, ces galeries d'art qui n'ont pas peur de côtoyer un vendeur de hot dogs, et ces intérieurs si chaleureux. Car ici on ne vous cache pas grand-chose. Les fenêtres sans volets évoquent des vitrines qui nous obligent à devenir voyeur ou à détailler les canapés du salon. Si bien que l'on a parfois l'impression de se promener dans une version à ciel ouvert du « Salon de l'habitat ». Indifférence du regard des autres ? Ou désir de partager ? À vous de juger, selon vos critères, si cette qualité de vie peu courante et cet esprit libéral sont un mythe ou une réalité !

♯ La partie « Pour en savoir plus » présente en détails les particularités d'Amsterdam.

45

Le centre historique★★★

Il correspond géographiquement aux limites de la cité médiévale telle qu'elle était jusqu'au milieu du 16ᵉ s., avant l'aménagement des grands canaux à l'ouest. C'est ici que débarquaient les marins, euphoriques de mettre enfin pied à terre. Les touristes les ont aujourd'hui remplacés, aimantés eux aussi par le Dam, emplacement de la première digue devenu le cœur animé et commerçant de la ville. Trop commerçant peut-être ? Sans doute… mais il suffit bien souvent de se laisser porter au fil d'un canal ou de pousser la porte d'un café brun pour retrouver toute la magie du Siècle d'or.

➜**Accès** : de la gare centrale (trains, ferries, métro), les tramways traversent le centre historique vers le sud : 1, 2, 5 via le Spui et 4, 9, 14, 16, 24 via le Dam et Rokin. Plan détachable C 3-4, D 2-3-4 et **plan de quartier p. 48-49**.

➜**Conseils** : malgré son « rang », nous vous conseillons de ne pas consacrer 100 % de votre séjour, même court, à ce quartier. Il y a tant d'autres choses à voir ailleurs…

Le Nieuwe Zijde (« nouveau côté »), décrit ici, correspond à l'ouest du centre historique autrefois séparé de l'Oude Zijde (« vieux côté » – décrit dans « Quartier rouge » p. 56) par l'Amstel.

Centraal Station C-D 1

(Gare centrale)

Construite entre 1881 et 1889 sur trois îles artificielles aménagées sur l'IJ à l'emplacement du port, la gare centrale est souvent votre première vision de la ville. Voulue par les architectes Adolf Leonard van Gendt (1835-1901) et Pierre Cuypers (1827-1921) comme une **porte monumentale**, cette architecture de brique rouge néo-Renaissance, qui repose sur 8 700 pilotis, marqua l'entrée de la cité dans l'ère industrielle. Nœud ferroviaire mais aussi gare fluviale, station de métro et de tramway, elle est actuellement l'objet d'un vaste projet de rénovation, qui devrait s'achever en 2012. Après, pourquoi pas, un passage

par la brasserie Belle Époque Eerste Klas (accès par les quais), vous sortirez sur **Stationsplein**, qui vibre au rythme de l'incessant va-et-vient des voyageurs.

Damrak B2

Ancien avant-port, le Damrak fut presque intégralement remblayé en 1672 pour laisser place à la principale artère de la ville, qui relie la gare centrale à la place du Dam. Seul subsiste un petit bassin où sont amarrés les bateaux de promenade. L'axe, bordé d'une enfilade de magasins de souvenirs et de bars, est malheureusement peu attrayant. Seule la bourse de Berlage, dressée sur le côté est de l'avenue, l'embellit.

Beurs van Berlage★ B2

(Bourse de Berlage)

Damrak 243 - ℘ (020) 530 41 41 - www. beursvanberlage.nl - ouvert uniquement durant les expositions et lors des concerts -

Le Damrak et les maisons de canaux.

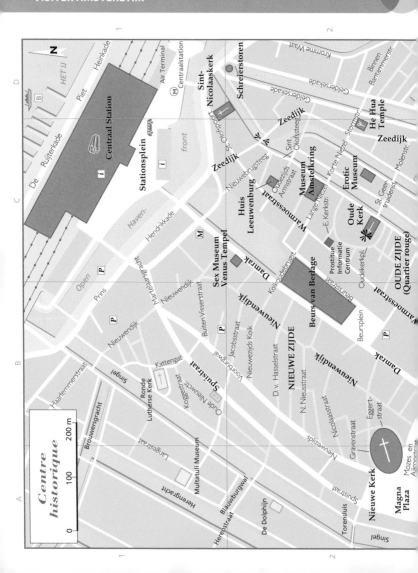

Centre historique

0   100   200 m

N

HET IJ

De Ruijterkade
Pet Heinkade
Open
Prins Hendrikkade
Haven-

Centraal Station

Air Terminal
Centraalstation
Stationsplein

i

front

Martelaargracht
Nieuwendijk
Buiten Visserstraat
Jacobsstraat
Nieuwzijds Kolk
Voorburgwal
D. v. Hasselstraat
N. Nieuwstraat
Nicolaasstraat
Gravenstraat
Eggert-straat

Haarlemmerstraat
Singel
Kattengat
Kogestraat
Spuistraat

Ronde
Lutherse Kerk
Oude Nieuwezijds

Brouwersgracht
Langestraat
Herengracht
Blauwburgwal
Herenstraat
De Dolphijn

Multatuli Museum

Spuistraat
Nieuwezijds
Torensluis
Singel

Nieuwendijk
NIEUWE ZIJDE
Mozes en Aäronstr.

Magna
Plaza

Nieuwe Kerk

Sint-
Nicolaaskerk
Schreierstoren
Zeedijk
Gelderskade
Binnen Bantammerstr.
Kromme Waal

He Hua
Temple
Zeedijk
Molenstr.
St. Geer-trudenstr.

St. Olofspoort
Sint Olofssteeg
Nieuwebrugsteeg
Zeedijk
Korte Niezel
Stormst.

Huis
Leeuwenburg
Oudezijds Armsteeg
Lange Niezel
E. Kerkst.

Museum
Amstelkring
Erotic
Museum
Oude
Kerk

Warmoesstraat
Warmoesstraat
Kolksteeg
Beurssteeg

Sex Museum
Venus Tempel
Damrak
Beurs van Berlage
Damrak

Prostitue
Informatie
Centrum
Oudekerkpl.
Oudekerksstraat

OUDE ZIJDE
(Quartier rouge)

Beursplein

P   M   i   B

café : 11h-18h. Derrière cette sobre façade de brique rouge, datant de 1903, se cache l'œuvre phare de **Hendrick Petrus Berlage** (👉 *p. 114*), architecte épris de fonctionnalisme et pionnier de l'architecture moderne aux Pays-Bas. Il réalisa ici une **œuvre totale**, une synthèse des arts entre architecture, peinture, sculpture et poésie (maximes inscrites en façade ou sur la tour). Depuis 1987, la *Grote Zaal* aux galeries couvertes sert de centre culturel. En dehors des expositions, vous pourrez vous faire une petite idée de l'architecture intérieure en prenant un verre au **café** de la bourse.

Le Dam★ B3

Nous sommes ici au **centre géographique et historique** de la ville. Place principale d'Amsterdam, le Dam se trouve à la jonction des deux grandes artères centrales : le Damrak (👉 *p. 46*) et le Rokin, à l'emplacement de la digue (*dam*) sur l'Amstel. Depuis sa fondation, cet espace, qui accueillait jadis le marché central, a toujours été le lieu des manifestations et des fêtes populaires. Repaire des hippies dans les années 1960, la place accueille désormais divers événements et sert de lieu de rendez-vous aux jeunes et aux touristes fatigués, ainsi qu'à d'innombrables pigeons. Outre le Palais royal et la Nouvelle Église (👉 *ci-après*), voyez au n° 11 la **maison de Wildeman** (« le sauvage »), la plus ancienne de la place (1632).
Dans la partie est de la place se dresse le **Nationaal Monument** (monument national de la Libération,

1956), obélisque de 22 m de haut du sculpteur John Raedecker, qui symbolise l'humanité souffrante, courbée sous le fléau de la guerre. Flanquée de deux lions héraldiques nationaux, la structure renferme de la terre provenant des provinces du pays ainsi que des anciennes Indes néerlandaises.

Koninklijk Paleis★ A3

(Palais royal)
Dam - ouverture au public très aléatoire, se renseigner : 📞 (020) 620 40 60 - www. koninklijkhuis.nl - 4,50 € (enf. 3,60 €).
Cet ancien hôtel de ville fut construit par Jacob van Campen à partir de 1648 pour remplacer l'hôtel de ville gothique incendié en 1652. Il devint palais royal en 1808 sous le règne de Louis Bonaparte, frère de Napoléon.
C'est une **construction classique et volontairement lourde** (symbole d'opulence), en matériaux nobles (pierre de Bentheim, hélas fort noircie aujourd'hui, marbres), qui s'appuie sur **13 659 pilotis de bois**. Les façades est et ouest sont surmontées de tympans sculptés par l'Anversois Artus Quellin le Vieux, à qui l'on doit également la décoration intérieure. Au-dessus de la façade ouest, remarquez la sculpture d'Atlas soutenant le globe céleste, qui rappelle la position dominante de la cité marchande durant le Siècle d'or.
Si vous avez la chance de visiter le palais, vous découvrirez un dédale de salles et de salons agrémentés d'une riche **statuaire★**. La pièce la plus impressionnante est la **salle des citoyens ★** *(Burger zaal)*, dont le sol

50

en marbre représente une carte des hémisphères est et ouest ainsi que le firmament nord. De nos jours, la reine réside au palais de Huis ten Bosch à La Haye, mais le bâtiment est toujours à sa disposition pour diverses cérémonies.

Nieuwe Kerk★★ A2

(Nouvelle Église)

Dam – ℘ (020) 638 69 09 - www. nieuwekerk.nl - 10h-18h (jeu. 22h) - fermé 1er janv. et 25 déc. Tarif variable selon les expositions.

La Nieuwe Kerk est aux Néerlandais ce que Westminster est aux Anglais. Grâce à sa position centrale, cette église est le lieu de l'intronisation des souverains, depuis Guillaume Ier en 1815 à Béatrix en 1980.

En 1408, un siècle après le début de la construction de l'Église vieille (*⬥ Oude Kerk p. 56*) et alors que la population augmente constamment, l'évêque d'Utrecht autorisa la construction de ce second lieu de culte. Le sanctuaire, qui prit naturellement le nom de « Nouvelle Église », fut édifié dans un style **gothique flamboyant**, teinté des premières influences de la Renaissance. Mais, victime d'un incendie en 1645 et des fonds engagés dans la construction de son terne voisin qu'est le palais royal (*⬥ Koninklijk Paleis p. 50*), il ne reçut jamais le clocher grandiose qu'avait prévu Jacob van Campen.

Plusieurs fois pillé ou ravagé par des incendies et dégarni de son ornementation après l'Altération de 1578 et le passage au culte protestant, l'**intérieur★★** se distingue par sa sobriété et la belle luminosité créée par 75 fenêtres. Le regard se dirige vers la voûte en bois et le majestueux **buffet d'orgue★★** réalisé vers 1650 d'après les dessins de Jacob van Campen. Remarquez l'imposante **chaire★★** en bois ciselé (1649-1664), la plus grande d'Europe, et la finesse de son décor. Séparé de la nef par une belle **grille★** en cuivre doré, chef-d'œuvre de Johannes Lutma, orfèvre d'Amsterdam et ami de Rembrandt, le chœur abrite le **mausolée de Michiel de Ruyter★** (1607-1676), considéré comme l'un des plus grands amiraux des Pays-Bas.

Le miracle d'Amsterdam

Le 15 mars 1345, dans une petite maison près du Rokin, un mourant régurgita dans le feu l'hostie qui lui avait été administrée lors de l'extrême-onction. Le lendemain matin, l'hostie fut retrouvée intacte au milieu des cendres. Les pèlerins affluèrent bientôt par milliers, contribuant, dit-on, à l'essor de la ville. Chaque année, le miracle est évoqué par une procession nocturne silencieuse (De Stille Omgag), la nuit du samedi au dimanche suivant le 15 mars.

⬥ Voir aussi le Musée historique d'Amsterdam (p. 52) et l'église anglaise du Béguinage (p. 54).

Aujourd'hui, la Nouvelle Église sert de cadre à des expositions majeures. En sortant de l'église, attardez-vous dans Eggertstraat et Gravenstraat, deux ruelles pleines de charme où se niche le *proeflokaal* De Drie Fleschjes (♿ *« Nos adresses/Prendre un verre » p. 32*).

Magna Plaza A2

Nieuwezijds Voorburgwal 182.
Derrière le Palais royal se trouve l'impressionnant édifice néo gothique de l'ancienne poste, construite en 1899 par C.G. Peters. Depuis 1992, un centre commercial de luxe (♿ *« Nos adresses/ Shopping » p. 39*) occupe ses élégantes galeries à arcades.

Madame Tussaud Scenerama B3

Dam 20 - ℘ (020) 522 10 10 - www. madametussauds.nl - 10h-17h30 - 21 € (enf. 15 €).
Voici le cousin, plus modeste, du célèbre Madame Tussaud's Waxworks de Londres. Cette attraction met en scène des mannequins de cire plus vrais que nature représentant des personnages historiques et des vedettes internationales (en phase avec l'actualité). L'accent est porté sur le Siècle d'or à Amsterdam, avec notamment une intéressante **maquette tournante de la ville**.

Kalverstraat et Rokin B 3-4

Ces deux axes animés relient le Dam au carrefour sur les canaux qu'est Muntplein. Principale rue piétonne et commerçante de la ville, **Kalverstraat** regroupe toutes les marques internationales de prêt-à-porter, une enfilade d'enseignes qui transforme la rue en ruche en fin de semaine… Large artère principale du centre-ville, dans le prolongement du Damrak (♿ *p. 46*), le **Rokin** recouvre l'ancienne embouchure de l'Amstel. De ce vaste port intérieur *(rak-in)* ne subsiste plus aujourd'hui que le petit bassin, situé près de Muntplein et bordé à l'est par le musée Allard Pierson (voir ci-après). Malgré quelques immeubles modernes contestables, l'avenue a conservé d'imposantes demeures datant pour l'essentiel du 19e s. Notez ainsi les n° 91 et n° 145, dessinées par Philip Vingboons. En remontant l'avenue sur le côté droit, remarquez la petite **Heilige Stede** (colonne du miracle) qui commémore le miracle d'Amsterdam (♿ *encadré p. 51*).

Amsterdams Historish Museum★★ A3

(Musée historique d'Amsterdam)
Nieuwezijds Voorburgwal 357/Kalver- straat 92 - ℘ (020) 523 18 22 - www.ahm. nl - lun.-vend. 10h-17h, w.-end et j. fériés 11h-17h - fermé 1er janv., 30 avr., 25 déc. - 8 €. D'avr. à oct., chaque sam., une visite guidée et un tour commenté dans le centre historique, en anglais, sont organisés.
Ce musée est un préambule ou un complément indispensable à la visite « sérieuse » de la ville. Installé dans l'ancien orphelinat municipal *(Burgerweeshuis - 15e-17e s.)*, il brosse un **portrait très complet de l'histoire d'Amsterdam**, grâce à des maquettes,

Intérieur du Koninklijk Paleis.

cartes et tableaux présentés de manière dynamique et chronologique.

Le parcours débute avec une carte lumineuse qui décrit l'extension de cette cité bâtie entièrement sur du sable, depuis la construction de la première digue (12ᵉ s.) jusqu'à nos jours. Un fort accent est mis sur la prospérité du **Siècle d'or**, indissociable de l'esprit d'entreprise de la Compagnie des Indes orientales (VOC). Alors que les richesses du monde entier s'accumulaient dans les entrepôts de la ville et que se développait un goût immodéré pour les œuvres d'art, la ville n'oubliait pas ses miséreux et les institutions charitables proliféraient. Vos oreilles sont ensuite sollicitées pour découvrir les carillons des fondeurs lorrains Pierre et François Hemony qui rythmaient la vie sociale. Une présentation des années Napoléon et du déclin de la ville au 19ᵉ s. précède une partie passionnante, consacrée à la **période moderne** et la formidable évolution urbaine et sociale de la ville : plan d'urbanisme de l'école d'Amsterdam, maquettes de logements, société multiculturelle, mouvement Provo, coffee-shops, etc.

Schuttersgalerij★ (Galerie des Gardes civiques) – Dans cette galerie couverte (accès libre), qui relie le musée au béguinage (♿ ci-contre), sont suspendus d'immenses portraits de corporations de gardes civiques, ces milices bourgeoises qui assuraient l'ordre dans la ville. Chaque année, le changement de capitaine était commémoré par ces portraits de groupe dont La Ronde de nuit de Rembrandt (au Rijksmuseum, ♿ p. 81) est le plus célèbre.

Begijnhof★★★ A4

(Béguinage)

Entrées sur le Spui et sur Gedempte Begijnensloot - www.begijnhofamsterdam. nl - 9h-17h. Propriété privée : respectez le calme du lieu.

Havre de paix et de verdure au cœur de la ville, le béguinage se présente comme un espace clos et protégé, planté d'arbres et entouré d'élégantes demeures à pignon qui s'ordonnent autour d'un pré. C'est ici que résidaient les **béguines**, femmes célibataires ou veuves issues d'une communauté mi-religieuse, mi-laïque et dont le temps se partageait entre prières, actions de bienfaisance et travaux manuels. Construit à partir de 1346 à la limite extérieure de la ville, puis inclus à l'intérieur de l'enceinte, l'ensemble de l'édifice fut détruit par les incendies du 15ᵉ s. Les demeures précédées d'un jardinet fleuri que l'on admire aujourd'hui datent pour l'essentiel des 17ᵉ et 18ᵉ s. Au nº 34 subsiste cependant la plus vieille maison d'Amsterdam, **Het Houten Huis** (la maison de bois - v. 1425), dotée d'une façade en bois sombre. L'église anglaise, **Engelse Kerk** (15ᵉ s.) servait de lieu de culte aux béguines, jusqu'à ce que les protestants s'en emparent en 1607. Une petite chapelle catholique clandestine, Begijnhofkapel, fut alors aménagée au nº 29 en 1665. À gauche de l'autel, un tableau relate les épisodes du miracle d'Amsterdam (♿ p. 51). Prenez le temps de déambuler autour du jardin, pour apprécier la quiétude du lieu, rencontrer les chats du quartier et détailler les pierres de façades.

Le Spui A4

Cette agréable place animée et de forme irrégulière est bordée par des cafés bruns, le béguinage, le Singel et la Vieille Église luthérienne (Oude Lutherse Kerk – 1633), actuel amphithéâtre de l'université. Les étudiants se donnent d'ailleurs volontiers rendez-vous sur le Spui (prononcez « Spau »). Dans les années 1960, le mouvement contestataire Provo y organisait ses rassemblements autour de la petite statue **Het Lieverdje** (1960), un enfant au sourire gouailleur. Leur mouvement se prolongea dans les années 1970 par celui des squatters, comme en témoigne encore la façade bariolée du squat Vrankrijk au n° 216 de la Spuistraat (*www.vrankrijk.org*).

Allard Pierson Museum★

B4 *Oude Turfmarkt 127 - ✆ (020) 525 25 56 - www.allardpiersonmuseum.nl - mar.-vend. 10h-17h, w.-end. 13h-17h - 5 €.* Installé dans un édifice néoclassique de 1869, à l'emplacement de l'ancien marché de la tourbe – source de chauffage principale jusqu'au milieu du 19e s. – le **musée d'Archéologie de l'université** réunit une passionnante collection d'antiquités égyptiennes, grecques, romaines et moyen-orientales. Malheureusement, la présentation peu agréable et le manque d'explications freine les visiteurs peu férus d'archéologie. Signalons tout de même la série de masques de **momies égyptiennes★**, le **kouros grec★** dit « d'Amsterdam » (590 av. J.-C.) et la collection de **céramiques grecques à figures rouges★**.

55

Habiter sur l'eau : un rêve coûteux

C'est le rêve temporaire de bien des touristes qui déambulent le long des canaux du centre historique, de la ceinture des canaux et d'ailleurs… L'agglomération d'Amsterdam compte 2 500 péniches et maisons flottantes (Woonboten ou House-boats), raccordées aux réseaux de gaz, d'électricité, d'eau et d'égouts. Ce type d'habitat, né dans les années 1950 en période de pénurie de logement, fut plébiscité par les hippies et les Provos pendant les années 1960. Mais la réglementation actuelle n'autorisant plus de nouvel amarrage, l'unique solution pour habiter sur une péniche est d'en acheter une déjà apontée. Atypique et pleine de charme, la vie dans les maisons flottantes n'en est pas moins onéreuse, en raison des coûts élevés d'entretien. Cette tradition se perpétue pourtant dans les villes nouvelles des îles artificielles, toujours plus loin à l'est de la capitale hollandaise.
✆ *Pour en savoir plus, visitez le Houseboat Museum (p. 65).*

Le Quartier rouge★★

Derrière ce surnom porteur de fantasmes se cache le « vieux côté » (Oude Zijde)
du centre historique. Situé à l'est du Damrak-Rokin, il s'est démarqué du
« nouveau côté » (traité dans « Centre historique ») au 15e s. pour des raisons
de divisions paroissiales. Cette zone est également connue sous le nom de
Walletjes (« petits murs »), à cause de l'étroitesse des vieilles ruelles derrière
les fenêtres desquelles se tiennent les prostituées. Tout l'intérêt du quartier
réside dans ce mélange étonnant de monuments historiques, d'adorables
canaux, d'ateliers de créateurs, de sex-shops et de néons rouges.

→**Accès** : Ⓜ Centraal Station et Nieuwmarkt. Plan détachable D 2-4 et **plan de quartier p. 48-49**.

→**Conseils** : le caractère excessif du quartier ne doit pas vous faire oublier ses charmes architecturaux. À découvrir le soir, pour l'effervescence et le reflet des néons dans les canaux, ou en journée pour plus de calme.

Oude Kerk★ C2

56

Oudekerksplein 23 - ℘ (020) 625 82 84 - www.oudekerk.nl - lun.-sam. 11h-17h, dim. 13h-17h - fermé 1er janv., 30 avr., 25 déc. - 5 €.

Miraculeusement épargnée par les incendies, la plus ancienne église de la ville (1306) se dresse au cœur du quartier rouge, au-dessus d'une adorable placette pavée. C'est donc fort logiquement de son clocher, surmonté d'une élégante flèche au 16e s., que l'on bénéficie de la plus **belle vue**★★ sur les environs. Refuge des plus démunis et des marins, l'église passa aux mains des protestants en 1578 et une grande partie de son ornementation originale fut mise à mal par les iconoclastes. La chapelle de la Vierge conserve toutefois trois **vitraux**★ de 1555. On admirera également le détail des scènes populaires et un peu grivoises sculptées

sur les **stalles**★ du chœur (1480-1578). L'église abrite, depuis 1642, la dépouille de Saskia van Uylenburgh, l'épouse de Rembrandt (dalle n° 29), et d'autres personnages célèbres (le peintre Pieter Aertsen, l'écrivain Roemer Visscher, les architectes Justus et Philip Vingboons et le compositeur Jan Pieteroon Sweelinck). L'église sert de cadre à des concerts d'orgue (le **grand orgue**★ principal, de 1724, jouit d'une excellente réputation) mais aussi à des expositions culturelles.

Warmoesstraat – Cette longue rue voisine, bordée de vitrines hétéroclites (sex-shops, salons de thé, coffe-shops), fut jadis une digue puis l'adresse de l'élite marchande de la ville.

Museum Amstelkring★ C2

Oudezijds Voorburgwal 40 - ℘ (020) 624 66 04 - www.museumamstelkring.nl - lun.-sam. 10h-17h, dim. et j. fériés 13h-17h - fermé 1er janv. - 7 €.

Les vitraux et les stalles du chœur de l'Oude Kerk.

Dans le rouge depuis des siècles

Terre d'élection des marins dès le 14ᵉ s., Amsterdam a toujours observé une certaine tolérance envers la prostitution, localisée depuis ses débuts dans le Quartier rouge. Malgré une tentative d'interdiction par les calvinistes dès 1578, on compta 20 000 prostituées au 19ᵉ s. La politique sociale libérale des années 1970 a autorisé les prostituées à travailler dans des vitrines, repérables à leurs lanternes rouges. Ces mesures furent prises pour contrôler l'activité, éviter la corruption et les réseaux criminels, préserver la sécurité des femmes et l'ordre public. Les prostituées payent des impôts, bénéficient d'une couverture sociale, de contrôles médicaux et sont représentées par le syndicat Rode Draad (le « fil rouge »). Mais depuis 2007, cette partie de la ville entame sa mutation. Soucieuse de son image, mais aussi du pouvoir d'attraction du Quartier rouge, la municipalité entend faire évoluer De Walletjes. De jeunes créateurs investissent désormais les vitrines vacantes, mises à leur disposition pour des sommes modestes (programme Redlight Fashion). Le but n'est pas de faire disparaître la prostitution mais de la diminuer, et de transformer peu à peu ce quartier en zone mixte de « plaisirs » et de création.

Derrière le nom insolite du lieu (« Notre-Seigneur-au-grenier »), se cache une ancienne église clandestine, aménagée dans les combles de trois demeures mitoyennes. Après le traité d'Utrecht, les catholiques, chassés de leurs églises par la Réforme, célébrèrent leurs offices chez des particuliers – une pratique tacitement tolérée. La ville compta ainsi une vingtaine de lieux de culte clandestins. Celui-ci servit entre 1663 et 1887, date de l'érection de la nouvelle église St-Nicolas. Passé la chambre du canal et son aménagement dans un style hollandais du 17ᵉ s., vous parvenez aux étages supérieurs et à l'**église clandestine★** proprement dite. Notez l'ingénieux système de la chaire escamotable. Ce parcours labyrinthique permet à la fois de se faire une idée de l'aménagement des maisons de canal de l'époque et d'admirer une intéressante collection d'objets liturgiques.

Au nord du quartier rouge

Huis Leeuwenburg (Maison Leeuwenburg) – **C2** - *Oudezijds Voorburgwal 14*. Cette pittoresque façade de brique rouille à pignon à redents, du (17ᵉ s.) s'orne d'une pierre sculptée représentant un château fort abritant un lion. Du pont voisin, on a une **vue★** pittoresque sur la coupole de l'église St-Nicolas, de l'autre l'Oudezijds Voorburgwal *(voir ci-contre)* qu'encadre un bel ensemble de façades anciennes.

Sint-Nicolaskerk (Église St-Nicolas) – **D 1-2** - *Prins Hendrikkade 73 - chorale les sam. de sept. à juin à 17h et concerts réguliers - www.muziekindenicolaas.nl.* Construite en 1887 dans le style néobaroque par Adrianus Cyriacus Bleys, elle est repérable grâce à son imposant dôme octogonal et à ses deux clochers carrés. Ce sanctuaire fut consacré en 1887, marquant l'émancipation du catholicisme après des années de clandestinité. L'église est dédiée à saint Nicolas, patron des marins et d'Amsterdam, équivalent du Père Noël aux Pays-Bas.

Schreierstoren (Tour des Pleureuses) – **D2** - *Prins Hendrikkade 94-95*. Ancien bastion de la première enceinte de la ville (1480), cette tour semi-circulaire doit son nom, dit-on, aux larmes qu'y versaient les femmes des marins, venues regarder s'éloigner les bateaux.

Nieuwmarkt **C3**

Cet agréable espace piéton bordé de terrasses doit son atmosphère animée à sa position de carrefour entre le quartier chinois *(voir ci-dessous)*, le Quartier rouge et le quartier juif *(voir p. 89)*.

De Waag★ – **C3**. Le Poids public *(Waag)*, ou Porte St-Antoine *(St.-Anthoniespoort)*, trône au centre de la place. Imposante fortification de 1488, flanquée de tours et de tourelles, et autrefois entourée d'un fossé, elle marquait la limite de la ville commerçante à l'ouest et des quartiers pauvres à l'est. Elle servit de siège aux guildes, qui disposaient chacune d'une entrée séparée. Celle des chirurgiens est ainsi marquée par l'inscription « Theatrum Anatomicum ».

Zeedijk – **C2**. Rue piétonne animée, l'ancienne « digue de la mer » constitue le quartier chinois, comme en témoignent les plaques de rues traduites et le temple bouddhiste He Hua *(Zeedijk 106 - 12h-17h)* inauguré par la reine Beatrix en l'an 2000. Au n° 1 (côté gare)

se dresse l'une des dernières maisons en bois de la ville, abritant depuis 1550 le café brun In't Aepjen (◉ « *Nos adresses/ Prendre un verre* » p. 32).

Au sud du quartier rouge

Oudezijds Achterburgwal/ Oudezijds Voorburgwal – **C2-3**. Ces deux charmants canaux parallèles servent d'artères principales au quartier. S'y trouvent l'**Erotic Museum** *(Oudezijds Achterburgwal 54 - ℘ (020) 624 73 03 - 11h-1h - 5 €)* et **The Hash Marihuana & Hemp Museum** *(Oudezijds Achterburgwal 148 - ℘ (020) 623 59 61 - 11h-22h - 5,70 €)*, musée retraçant l'histoire et les usages du haschich. Voyez aussi le **Prinsenhof** *(Oudezijds Voorburgwal 197)* un ancien couvent du 15e s. devenu cour des Princes puis siège de la municipalité. Il abrite désormais l'hôtel The Grand, connu pour son bel aménagement intérieur des années 1920.

Kloveniersburgwal – **C3-4, B4**. Le long de ce canal qui court de Nieuwmarkt à l'Amstel, vous remarquerez la **Trippenhuis** (n° 29), un imposant édifice classique construit en 1662 par Justus Vingboons pour les frères Trip, fabricants de canons. Le passage couvert voisin, l'ancien hospice d'**Oudemanhuispoort**, accueille des étals de bouquinistes. Non loin, voyez le **Grimburgwal**, un canal creusé au début du 14e s. et dominé par la belle **maison des Trois Canaux★** (Huis aan de Drie Grachten - 1609).

Muntplein – Cette place voisine est décrite dans « Les canaux sud » p. 66.

59

Les canaux nord★★★

Ces nobles canaux (« de l'Empereur », « du Prince », « des Seigneurs »), percés à partir de 1586, déroulent leurs quais majestueux, bordés d'étroites façades à pignons, de demeures patriciennes opulentes, d'anciens entrepôts et de maisons flottantes. La quiétude des lieux et la présence de nombreuses petites boutiques et eetcafés (parfaits pour la pause déjeuner), font de la partie nord de cette ceinture de canaux, celle qui épouse la forme du Singel, un quartier à la fois vivant, intime et charmant où il fait bon s'attarder.

→**Accès** : 🚊 13, 14, 17. Plan détachable C 2-4 et **plan de quartier p. 63**.
→**Conseils** : n'hésitez pas à faire des incursions dans le Jordaan tout proche et à zigzaguer au hasard parmi les canaux entre la visite des lieux décrits ci-dessous.

♿ Pour plus de précisions sur l'histoire de la Ceinture de canaux, voir p. 73.

Westermarkt★ A2

Cernée par les canaux, la vaste place de l'ancien « marché de l'ouest » sert de point de transit entre le centre historique et le Jordaan. On y accède notamment par Raadhuistraat, rue bordée d'un galerie à arcades, animée de terrifiantes gargouilles.

Au n° 6 de la place subsiste une maison où vécut Descartes (« Quel autre pays où l'on puisse jouir d'une liberté si entière »). Au sol s'étend un monument triangulaire dédié aux homosexuels persécutés par les nazis (Homomonument).

La **Westerkerk**★ (Église de l'Ouest - *Prinsengracht 281 - ☎ (020) 624 77 66 - www.westerkerk.nl - avr.-sept. : lun.-vend. 11h-15h ; hors sais. : se renseigner*), de style gothico-Renaissance, est le temple protestant le plus important de la ville. Elle a été bâtie dans les années 1620-1631 par Pieter de Keyser, d'après les plans de son père Hendrick.

Le **clocher**★★, surmonté de la couronne de Maximilien (récompense à la ville pour un prêt accordé), s'élève à 85 m et possède un remarquable carillon dû à François Hemony. Vous l'entendrez lors du concert du mardi *(12h-13h)*.

Du sommet, la **vue**★ sur les canaux et le Jordaan est splendide. L'**intérieur** de l'église est d'une grande sobriété. Vous remarquerez la voûte en berceau, construite en bois ou encore les volets peints du très bel orgue. C'est ici que le peintre Rembrandt fut inhumé dans une fosse commune le 8 octobre 1669. Adossée au flanc sud de l'église, la petite statue d'Anne Frank (1977), réalisée par Mari Andriessen (1897-1979), invite à la visite du musée qui lui est consacré.

Anne Frank Huis★★ A2

(Maison d'Anne Frank)
Prinsengracht 267 - ☎ (020) 556 71 05 - www.annefrank.org - 9h-19h ; 15 mars-15 sept. : 9h-21h - dernière entrée 30mn avant fermeture - 7,50 €. Pour éviter une longue attente, profitez des horaires tardifs en été ou venez tôt le matin.

Huis met de Hoofden (Maison des Têtes)

60

Anne Frank (1929-1945)

Née en 1929 à Francfort, Anne est la seconde fille d'Otto et Edith Frank. En décembre 1933, la famille s'installe à Amsterdam tout comme 25 000 juifs allemands. Le jour de ses 13 ans, elle reçoit un journal de son père qui, à la suite des premières rafles menées contre les Juifs en février 1941, installe sa famille au n° 263 du Prinsengracht, dans la « maison de derrière », une annexe de sa société commerciale. Grâce à la solidarité d'amis commence une longue période de clandestinité, en compagnie avec autres de la famille Van Pels et de leur fils Peter. Durant 25 mois, Anne se confie à l'intimité de son journal, y consignant le quotidien de cette communauté forcée de vivre dans un réduit. Mais en août 1944, à la suite d'une dénonciation, les occupants de la cachette sont arrêtés. Anne mourra du typhus et d'épuisement en mars 1945 à Bergen-Belsen. Unique survivant, Otto Frank fait publier le journal de sa fille qui avait été récupéré par des amies. Édité dans plus de 50 pays, il demeure le témoignage le plus connu concernant le destin des Juifs durant la Seconde Guerre mondiale. Un succès qui tient au style naturel de son auteur, mais aussi à l'étonnante analyse introspective opérée par cette jeune adolescente.

Construit en 1635, cet immeuble étroit s'étend en profondeur et comporte une arrière-maison agrandie en 1740. C'est là que le père d'Anne Frank cacha sa famille et des amis en 1942 (⏺ *encadré ci-dessus*). On retrouva dans la maison l'émouvant **journal** tenu par sa fille Anne, témoignant d'une rare sensibilité. En passant par la maison reconstruite en façade et par un passage secret dissimulé par une bibliothèque, le visiteur accède aux chambres laissées volontairement nues où vivaient les clandestins. « Dans la journée, nous sommes constamment obligés de marcher sur la pointe des pieds et de parler tout bas parce qu'il ne faut pas qu'on nous entende de l'entrepôt »… À mesure que l'on découvre les lieux, on se prend soi-même à avancer avec précaution. Au grenier, on peut voir des expositions temporaires sur Anne Frank, la guerre et l'antisémitisme.

Leliegracht – Au bord du joli canal des Lys voisin, un bel édifice Art nouveau (1905) orné de mosaïques colorées abrite le **siège de Greenpeace**.

Hofje van Brienen

Prinsengracht 85-133 - lun.-vend. 6h-18h, sam. 6h-14h, fermé dim.
À la différence des *hofjes* du Jordaan (⏺ *encadré p. 78*), celui-ci fut édifié tardivement (1804) et du côté « riche » du canal, ce qui en fait l'un des plus grands et des plus élégants du quartier. Il était réservé aux résidents catholiques, alors que les *hofjes* d'origine étaient des institutions protestantes. Joli jardin fleuri à l'intérieur.
Aujourd'hui convertis en logements, les trois **Groenland Pakhuizen** (entrepôts du Groenland – *Keizersgracht 40-44*) surmontés de pignons à redents furent édifiés en 1621 par la Compagnie du

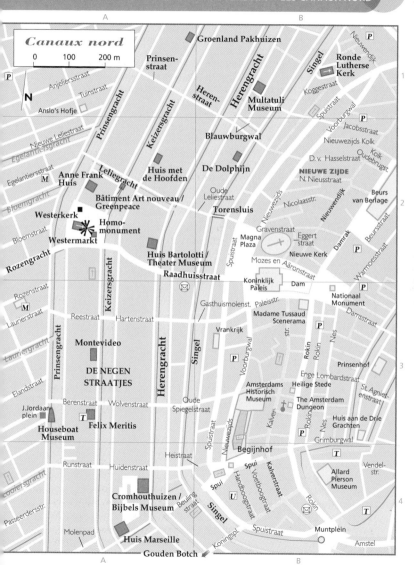

Canaux nord

0   100   200 m

N

A   B

Groenland Pakhuizen

Prinsen-straat

Anjeliersstraat

Tuinstraat

Anslo's Hofje

Nieuwe Leliestraat

Egelantiersgracht

Egelantiersstraat

M

Anne Frank Huis

Leliegracht

Bloemgracht

Westerkerk

Bloemstraat

Rozengracht

Westermarkt

Rozenstraat

M

Lauriergracht

Reestraat

Hartenstraat

Montevideo

DE NEGEN STRAATJES

Elandstraat

J.Jordaan plein

Berenstraat   Wolvenstraat

T

Houseboat Museum

Felix Meritis

Runstraat

Huidenstraat

Heistraat

Cromhouthuizen / Bijbels Museum

Passeerdersstr.

Molenpad

Huis Marseille

Gouden Botch

Prinsengracht

Keizersgracht

Herenstraat

Herengracht

Multatuli Museum

Blauwburgwal

Huis met de Hoofden

De Dolphijn

Bâtiment Art nouveau / Greenpeace

Homomonument

Huis Bartolotti / Theater Museum

Raadhuisstraat

Oude Leliestraat

Torensluis

Oude Spiegelstraat

Prinsengracht

Keizersgracht

Herengracht

Singel

Amsterdams Historisch Museum

Begijnhof

Spui

Spui

Handboogstraat

Beulingstraat

Singel

Koningspl.

U

Nieuwezijds Voorburgwal

Spuistraat

Singel

Ronde Lutherse Kerk

Nieuwendijk

Koggestraat

Voorburgwal

Jacobsstraat

Nieuwezijds Kolk

D. v. Hasselstraat

Kolk

Oudebrugst.

NIEUWE ZIJDE

N. Nieuwstraat

Nicolaasstr.

Nieuwendijk

Beurs van Berlage

Beursstraat

Gravenstraat

Magna Plaza

Eggert straat

Nieuwe Kerk

Damrak

Warmoesstraat

Mozes en Aäronstraat

Koninklijk Paleis

Dam

P

Nationaal Monument

Damstraat

Gasthuismolenst. Paleisstr.

Madame Tussaud Scenerama

Vrankrijk

Voorburgwal

Rokin

Rokin

Nes

Prinsenhof

Enge Lombardstraat

St. Agnietenstraat

Heilige Stede

The Amsterdam Dungeon

Huis aan de Drie Grachten

Grimburgwal

T

Kalverstraat

Rokin

Voetboogstraat

Allard Pierson Museum

Vendelstr.

Rokin

Muntplein

Spuistraat

Amstel

Nord, pour stocker l'huile de baleine qui servait à éclairer, à fabriquer du savon ou du goudron, à traiter le cuir, etc.

Huis met de Hoofden★ A2

Keizersgracht 123. La **Maison des Têtes**, belle demeure Renaissance de 1622 arbore six têtes sculptées entourées de légendes. Qui représentent-elles ? Les têtes décapitées des anciennes femmes du propriétaire ? Six voleurs assassinés par un domestique zélé ? Ou plus « simplement » des divinités romaines ?

De Dolphijn★ B2

Singel 140-142. La **Maison des Dauphins**, à double pignon à redents, fut construite vers 1600 par Hendrick de Keyser pour le compte de Hendrick Spieghel, auteur de la première grammaire néerlandaise, dont un texte parlait de dauphins.
Construite en 1671, la **Ronde Lutherse Kerk** (**B1**), dont on aperçoit le dôme cuivré de l'autre côté du Singel, a été aménagée en centre de conférences.

Torensluis B2

Établi sur une ancienne écluse du Singel, ce **large pont piéton** forme une agréable place bombée. Il s'avère particulièrement agréable par beau temps quand s'y déploient des terrasses. On profite des bancs proches de la statue de Multatuli (🕭 *encadré p. 65*) et on déguste des chocolats de chez Puccini (🕭 *« Nos adresses/Shopping » p. 39*).

Huis Bartolotti★ A2

(Maison Bartolotti/Musée du Théâtre)
Herengracht 168-172 - 📞 (020) 551 33 00 - lun.-vend. 11h-17h, w.-end 13h-15h - 4,50 €.
Ce musée est installé dans quatre belles maisons du Herengracht, dont l'une (n° 168) présente un beau **pignon en forme de cou★**, le premier d'Amsterdam (1638). Les nᵒˢ 170-172 offrent de beaux exemples de ce que l'on appelle la Renaissance hollandaise : une superbe alternance de briques et de pierres combinée à un riche décor. L'**intérieur★★**, aménagé en style Louis XIV, conserve une riche décoration de stucs, de fresques murales et de plafonds peints, notamment par Jacob de Wit. Remarquez l'élégant **escalier en colimaçon★** qui monte d'un seul tenant de la cave au grenier. Le musée proprement dit présente des costumes, affiches, accessoires et archives.

De Negen Straatjes★ A 3-4

(Les Neuf Ruelles)
www.de9straatjes.nl. Au sud du Westermarkt, ce calme quartier commerçant (🕭 *« Nos adresses/ Shopping » p. 36 et 39*) s'étire sur neuf rues transversales (aux noms d'animaux – souvenir du commerce de peaux d'antan) qui relient les quatre grands canaux. Boutiques et cafés invitent à une douce flânerie et à de sympathiques pauses déjeuner.

De Multatuli à Max Havelaar

L'écrivain néerlandais Eduard Douwes Dekker (1820-1887) s'est fait connaître sous le pseudonyme Multatuli, en latin « j'ai beaucoup souffert », en référence à ses expériences peu heureuses comme fonctionnaire dans les colonies de la Compagnie des Indes orientales. Il est notamment l'auteur du roman « Max Havelaar » (1860), ouvrage à la fois réaliste et romantique dans lequel il prend position contre l'oppression exercée par l'administration coloniale sur les habitants de l'île de Java, en Indonésie. Le héros de son roman a donné son nom à un label du commerce équitable. ♿ **Multatuli Museum** *– Korsjespoortsteeg 20 – ℘ (020) 638 19 38 - www.multatuli-museum.nl - 10h-17h (12h w.-end) - fermé sam. en juil.-août et lun.*

Houseboat Museum A3

(Musée de la Maison flottante)

Prinsengracht, face au n° 296 - ℘ (020) 626 19 77 - www.houseboatmuseum.nl - mars-oct. : mar.-dim. 11h-17h ; nov.-fév. : vend.-dim. 11h-17h - fermé 1er janv., 30 avr., 25-26 et 31 déc. - 3,25 €.
Une visite brève, mais instructive, pour découvrir l'aménagement d'une maison flottante, en l'occurrence un ancien bateau à voile industriel, l'*Hendrika Maria* (1914).

Felix Meritis A3

Keizersgracht 324 - www.felix.meritis.nl.
Cet imposant bâtiment néo-classique de 1787 abritait la fondation « Heureux par le mérite », destinée à promouvoir les arts et les sciences, suivant l'esprit des Lumières.

Cromhouthuizen★ A4

(Maisons Cromhout)

Herengracht 364-370 - ℘ (020) 624 24 36 - www.bijbelsmuseum.nl - lun.-sam. 10h-17h, dim. et j. fériés 11h-17h - fermé 1er janv. et 30 avr. - 7,50 €.

Les quatre demeures à pignons à cou, édifiées en 1662 par Philip Vingboons, à la demande de la riche famille de marchands catholiques Cromhout, portent les surnoms de « père et mère » (nos 364 et 366) et de « jumeaux » (nos 368 et 370). Vous découvrirez l'intérieur opulent en visitant le **musée** ayant trait à l'histoire et au rayonnement de la **Bible**. Voyez les plafonds peints par Jacob de Wit, les anciennes cuisines du 17e s. et l'agréable petit jardin à l'arrière. Les amateurs apprécieront la reconstitution du tabernacle (19e s.).

Huis Marseille A4

(Maison de Marseille)

Keizersgracht 401 - ℘ (020) 531 89 89 - www.huismarseille.nl - mar.-dim. 11h-18h - fermé 1er janv., 30 avr. et 25 déc. - 5 €.
Cette demeure (1665) de style classique, construite pour le marchand marseillais Isaac Focquier (1614-1680) présente une pierre de façade arborant un plan de Marseille. Elle abrite une fondation pour la promotion des artistes locaux.

Les canaux sud★★★

Ancien fief de l'aristocratie, la partie sud de la Ceinture des canaux, qui s'étend entre le Leidsegracht et l'Amstel, se révèle plus cossue que la partie nord, mais aussi plus commerçante et animée. Le cœur de la vie nocturne et culturelle bat ainsi sur les places de Leidseplein et de Rembrandtplein. En allant vers l'Amstel, où s'achève la course des quatre grands canaux, vous prendrez plaisir à détailler les façades ouvragées des hôtels particuliers, les enfilades de charmants petits ponts et les vitrines des antiquaires.

➜**Accès** : Leidseplein : 🚋 1, 2, 5. Vijzelstraat : 🚋 16, 24. Rembrandtplein : 🚋 4. Plan détachable C-D 5 et **plan de quartier p. 68**.

➜**Conseils** : ne vous privez pas d'une promenade nocturne pour contempler les ponts éclairés (♿ « *Reguliersgracht* » et « *Magere Brug* »).

Muntplein B1

La **place de la Monnaie** fait office de carrefour animé entre le centre historique et la Ceinture de canaux, entre le Singel et l'Amstel. Piétons, cyclistes et tramways s'y croisent sans cesse, les premiers faisant parfois une halte aux kiosques à poissons.
Munttoren, la tour de la Monnaie, vestige d'une porte de la première enceinte (1480), la domine de sa flèche baroque ajoutée par Hendrick de Keyser et pourvue d'un carillon. En 1672, pendant la guerre contre la France, on dut y battre monnaie, activité qui lui donna son nom.

Bloemenmarkt★ A-B 1

(Marché aux fleurs)
Sur ce **marché flottant**, installé le long du Singel depuis 1862, les passants ont l'embarras du choix parmi les innombrables fleurs coupées et bulbes à fleurs. Victime de leur succès auprès des touristes, les étals se couvrent aussi de

sabots, nains de jardin et autres tulipes en bois. Mais les principaux acheteurs de bulbes demeurent les Amstellodamois, amateurs de fleurs devant l'Éternel.
♿ « *Nos adresses/Shopping* » p. 39.

Tuschinski Theater★ B1

Reguliersbreestraat 34-36. Nous vous suggérons ici de vous offrir… une séance de cinéma – uniquement pour découvrir l'exubérance de la **salle Art déco**♿ de cet établissement. Cet incroyable théâtre, aujourd'hui converti en cinéma, fut fondé en 1921 par Abraham Tuschinski (mort à Auschwitz en 1942) et dessiné par H.L. De Jong. La façade annonce la couleur avec ses tourelles et son ornementation « en écailles ». Il est possible d'admirer librement le formidable foyer : débauche de lustres et de vitraux Art déco, ainsi qu'un somptueux tapis de laine filé à Marrakech. Pour découvrir la grande salle (n° 1), où se produisirent autrefois Marlène Dietrich et Édith Piaf, il faut assister à une projection. ♿ « *Nos adresses/Sortir* » p. 35.

La Muntplein, une « presqu'île » au cœur de la ville.

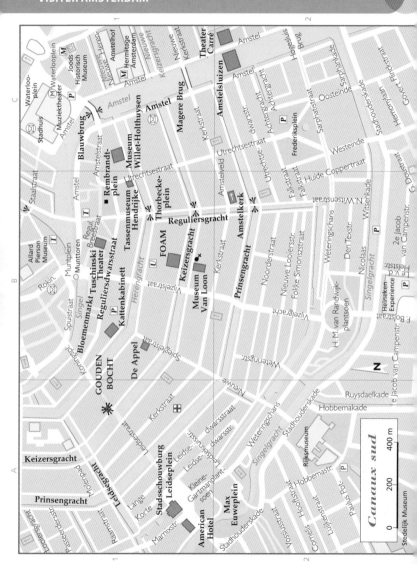

Canaux sud

0   200   400 m

Stedelijk Museum

Keizersgracht

Prinsengracht

GOUDEN BOCHT

De Appel

Stadsschouwburg

Leidseplein

Max Euweplein

American Hotel

Kattenkabinett

Tuschinski Theater

Bloemenmarkt

Reguliersdwarsstraat

Allard Pierson Museum

Muntplein

Munttoren

Rokin

Spuistraat

Singel

Tassenmuseum Hendrikje

Rembrandtplein

Thorbeckeplein

FOAM

Museum Van Loon

Keizersgracht

Reguliersgracht

Amstelkerk

Prinsengracht

Vijzelgracht

Heineken Experience

Rijksmuseum

Stadhuis

Waterlooplein

Muziektheater

Blauwbrug

Amstel

Joods Historisch Museum

Nieuwe Herengracht

Nieuwe Keizersgracht

Hermitage Amsterdam

Theater Carré

Amstelsluizen

Magere Brug

Museum Willet-Holthuysen

Utrechtsestraat

Amstelveld

Frederiksplein

Oosteinde

Westeinde

Hobbemakade

Ruysdaelkade

N

La rue parallèle de Reguliersdwarsstraat, bordée de bars et de clubs, constitue le cœur de l'Amsterdam gay.

Rembrandtplein B1

Vaste ensemble aéré et **lieu phare de la vie nocturne** amstellodamoise, Rembrandtplein rassemble nombre de grandes brasseries, de bars et clubs aux devantures tapageuses. Promeneurs diurnes et noctambules auront une vision fort différente de l'endroit – charmant ensemble de terrasses ombragées pour les premiers, débauche de néons quasi tokyoïte pour les seconds. La statue de Rembrandt (1852) veille sur ce monde effervescent qui porte son nom depuis 1876. Rembrandtplein se prolonge avec la petite place voisine de **Thorbeckeplein** (ancien marché au beurre) dominée par la statue de Johan Thorbecke (1798-1872), premier rédacteur de la Constitution de 1848.

Blauwbrug – **C1**. Le pont Bleu fut construit à l'occasion de l'Exposition internationale de 1883. Cette imitation du pont Alexandre III à Paris, offre de belles vues et rejoint Waterlooplein.

Tassenmuseum Hendrijke (Musée du Sac) – **B1** - Herengracht 573 - ℰ (020) 524 64 52 - www.tassenmuseum.nl - 10h-17h - fermé 1er janv., 30 avr. et 25 déc. - 6,50 €. Ce musée très récent, riche de 3 500 pièces, vous propose de découvrir toutes sortes de sacs et porte-monnaie, fort anciens ou futuristes. La visite de la demeure classique datant du Siècle d'or est un autre atout des lieux.

Museum Willet-Holthuysen★ C1

Herengracht 605 - ℰ (020) 523 18 22 - www.willetholthuysen.nl - lun.-vend. 10h-17h, w.-end 11h-17h - fermé 1er janv., 30 avr. et 25 déc. - 5 €.

Cette maison patricienne, construite entre 1685 et 1690, conserve une belle suite de pièces élégamment meublées. Le visiteur se trouve ici transporté dans le quotidien des riches marchands amstellodamois. Des collections de céramique, verrerie et orfèvrerie ainsi que des peintures sont exposées dans la cuisine (notez la vaste cheminée ornée de carreaux de faïence), **le salon bleu★** où les hommes jouaient aux cartes sous un plafond peint par Jacob de Wit, la salle de bal richement décorée, la salle à manger et le cabinet de collections. Le **jardin★** a été réaménagé selon les plans d'origine du français Daniel Marot.

Magere Brug★ C1

(Pont Maigre)
Ce **pont en bois à double bascule** (17e s.) qui enjambe l'Amstel compose une carte postale romantique lorsqu'il est illuminé le soir en été. Son nom, référence à son étroitesse d'origine, est aussi celui… de l'architecte. En amont, les écluses en bois d'**Amstelsluizen** (**C2**) datent du 18e s. et renouvellent l'eau des canaux d'Amsterdam deux à quatre fois par semaine. Le grand bâtiment voisin est le **théâtre Carré** (Koninklijk Theater Carré) datant de 1887.

La seconde vie des églises

Suite à la baisse de la population du centre-ville (construction des banlieues en 1920-1930) et au phénomène plus récent de laïcisation, les églises se sont retrouvées en surnombre. Pour éviter de détruire les sanctuaires, des associations ont essayé de trouver des acquéreurs prêts à conserver l'extérieur des bâtiments en l'état. Plusieurs ont été convertis en bureaux, galeries d'exposition (Nieuwe Kerk, voir p. 51), salles de concerts (Ronde Lutherse Kerk), restaurants (Amstelkerk), etc. L'exemple le plus connu demeurant la salle de concert Paradiso (p. 35), lieu culte des nuits amstellodamoises depuis 1968. Ce phénomène s'est étendu à tout le pays, et des agences immobilières se sont même spécialisées dans ce « recyclage ». L'Église, qui en tire quelques revenus, veille néanmoins à ce que l'utilisation des lieux ne soit pas trop « déplacée ».

Reguliersgracht★ B 1-2

Ce charmant canal creusé en 1664 s'étire au sud de Rembrandtplein et de Thorbeckeplein, coupant à travers la Ceinture des canaux. Il offre une **perspective★★** sur les canaux parmi les plus belles d'Amsterdam. Ainsi, depuis le pont à la hauteur de la Kerkstraat, vous contemplez une enfilade des sept ponts éclairés de mille ampoules le soir venu.

Amstelkerk – B2 - *Amstelveld 10.* Dressée au milieu du vaste « champ de l'Amstel », cette église protestante de 1669 surprend par sa structure en bois blanc qui évoque une grande ferme. Imaginée pour une utilisation temporaire, le sanctuaire en pierre qui devait la remplacer ne vit jamais le jour.

Museum Van Loon★ B1

Keizersgracht 672-674 - ℘ (020) 624 52 55 - www.museumvanloon.nl - tlj sf mar. 11h-17h - 6 €.
Édifié en 1671 par Adriaan Dortsman et modifié plusieurs fois depuis, ce **bel hôtel particulier** fut entre autres habité par le peintre portraitiste Ferdinand Bol, l'un des plus célèbres élèves de Rembrandt. Notez en façade les statues de Mars, Minerve, Vulcain et Cérès pour symboliser les activités commerciales (l'armement, la ferronnerie et les céréales) du commanditaire de l'édifice, le riche négociant Jeremias van Raey. La cage d'escalier, ornée de stucs, possède une **belle rampe★** (entrelacs de cuivre) datant de la seconde moitié du 18ᵉ s. C'est à la famille Van Loon, cofondatrice de la Compagnie des Indes orientales et propriétaire depuis 1884, que l'on doit l'aménagement du musée. L'intérieur raffiné conserve une riche collection de porcelaine et de nombreux tableaux, notamment *Les Quatre Âges ou la Vie et les cinq sens* de Jan Miense Molenaer (v. 1610-1668) dans le salon (fumoir) Rouge. Au fond du **beau jardin★** à la française, véritable parc miniature, voyez la petite remise à carrosses *(koetshuis)* de style néoclassique.

Escalier d'accès aux salles du FOAM.

Jasper Groen
Jeffrey

FOAM★ B1

(Musée de la Photographie)

Keizersgracht 609 - ☏ (020) 551 65 00 - www.foam.nl - 10h-18h (jeu.-vend. 21h) - fermé 1ᵉʳ janv. et 30 avr. - 7 €.
Abrité derrière la façade dépouillée de cette maison double, construite en 1670, ce musée accueille de superbes expositions temporaires aux thèmes variés (mode, nature, architecture). Les œuvres de talents confirmés et de jeunes artistes locaux s'y côtoient.

Gouden Bocht★ B1

(La Courbe d'or)

Il s'agit de la partie du Herengracht (et ses alentours) qui s'étire entre Leidsestraat et Vijzelstraat. Les quais y sont bordés de vastes demeures solennelles qui constituaient le quartier opulent de l'Amsterdam du Siècle d'or (17ᵉ s.). Ici résidait l'élite de la société, qui pouvait se permettre de faire construire des « maisons doubles ». Plus larges que ceux des maisons de canaux habituelles, les frontons s'aplanissent et adoptent le style classique tout en conservant leur exubérance décorative. Les pignons sont abandonnés au profit des corniches et des frontons. Un double escalier donne accès à l'étage noble, celui où l'on recevait les hôtes et qui possédait les plus hauts plafonds. La plupart de ces hôtels sont aujourd'hui occupés par des institutions, des banques ou des consulats et l'on doit se contenter de détailler les façades – un plaisir dont il ne faut pas se priver ! Voyez ainsi la riche décoration du **n° 475★**, attribuée à l'architecte français Daniel Marot (1663-1752) ou les pilastres corinthiens du **n° 476★**. Quel contraste avec, à l'angle de la Vijzelstraat, le colossal immeuble de l'ancienne NHM (Compagnie néerlandaise du commerce), bâti en 1923 dans un habit de briques et de granit !
Vous pourrez vous faire une idée des intérieurs fastueux des demeures du quartier en visitant les musées Van Loon (☝ p. 70) ou Willet-Holthuysen (☝ p. 69). L'une des rares maisons de la Courbe d'or qui soit accessible au public, le **Kattenkabinet** (Cabinet des Chats) contient une aimable collection d'objets (et des expositions temporaires) évoquant le fascinant félin. *Herengracht 497 - www.kattenkabinet.nl - mar.-vend. 9h-14h, sam.-dim. 13h-17h - 5 €.*

Spiegelkwartier A2-B1

Ce quartier correspond au canal Spiegelgracht et à la rue Nieuwe Spiegelstraat, perpendiculaire à la Ceinture des canaux. Depuis la fin du 19ᵉ s., il est devenu le **fief des antiquaires**, brocanteurs et galeristes, pour le plus grand bonheur des chineurs. À voir également « La Pomme », **De Appel**, un centre d'art contemporain réputé pour ses expositions temporaires (peinture, vidéo, photographie, design). *B1 - Nieuwe Spiegelstraat 10 - ☏ (020) 625 56 51 - www.deappel.nl - mar.-dim. 11h-18h - 7 €.*

Leidseplein A 1-2

La place la plus animée de la ville (de jour comme de nuit), autour de laquelle abondent les cafés, clubs, restaurants et théâtres, est bordée au sud par le canal Leidsegracht (1664) qui marque la limite entre les deux phases de construction de la Ceinture des canaux.

Leidsestraat – Rue piétonne et commerçante qui rejoint le centre. Au n° 34 se dresse l'élégant bâtiment (1891) du magasin Metz & Co, d'où l'on jouit d'une splendide vue sur les alentours.

Stadsschouwburg (Théâtre municipal) – Leidseplein 26. Cet édifice néo-Renaissance de 1894 a toujours été une importante figure de la vie culturelle locale. C'est aussi de son balcon que les joueurs de l'Ajax fêtent la victoire.

American Hotel – Leidseplein 28. Institution amstellodamoise par excellence, cet édifice, achevé en 1902 par Willem Kromhout (1864-1940), se présente comme un remarquable amalgame d'Art nouveau et d'école d'Amsterdam. Sa haute silhouette cache le somptueux décor Art déco du Café américain (vitraux, lustres Tiffany).

Max Euweplein – Enserrée dans un complexe de boutiques et de bars branchés, cette place doit son nom à Max Euwe (1901-1981), champion d'échecs néerlandais des années 1930. Un échiquier grandeur nature y attire son lot d'amateurs. Non loin de là, sur Weteringschans, les nuits s'animent au **Paradiso**, célébrissime salle de concerts aménagée en 1968 dans une ancienne église (🕭 « Nos adresses/Sortir » p. 35).

73

La ceinture de canaux

En 1586, la municipalité décida de la construction d'une ceinture de canaux concentriques (Grachtengordel) autour du centre historique devenu trop étroit. Un travail herculéen ! En premier lieu, le Singel déjà existant, et dédié au transport de marchandises, fut élargi. Puis furent creusés le Herengracht (1586-1609), le Keizersgracht (1612) et le Prinsengracht (1612), des canaux larges de 25 m. Sur le premier, le canal des Seigneurs, vinrent s'installer les marchands aisés dont les maisons rivalisent de richesses. La vente des prestigieux terrains, en parcelles plus larges qu'à l'accoutumée, finança en partie les travaux de percement. Le second, le canal de l'Empereur, fut baptisé en l'honneur de Maximilien Ier qui avait autorisé la ville à porter ses armes en 1489. Ses nombreuses maisons flottantes en font aujourd'hui l'un des plus beaux canaux de la ville. Le troisième, le canal des Princes, fait référence à Guillaume le Taciturne. Les anciens entrepôts et la proximité du Jordaan lui donnent un air plus intime. La Ceinture de canaux fut prolongée jusqu'à l'Amstel en 1665. La ville repoussa à nouveau ses limites tout en doublant de volume ! À savoir : la numérotation de ces quatre canaux commence à partir du nord et remonte vers l'Amstel.

Jordaan★★

Excroissance logique du percement des quatre canaux centraux, le Jordaan (du français « jardin »), construit à partir du 17e s., était le quartier de la classe populaire et le théâtre de nombre de frondes. Réhabilité durant la seconde moitié du 20e s., il forme aujourd'hui un adorable damier de ruelles (d'anciens canaux comblés) et de canaux aux noms de fleurs. Son atmosphère et son âme éternellement populaire ont attiré les étudiants et les bobos. Et le charme opère instantanément sur les visiteurs qui s'attardent dans les hofjes, les jolies boutiques, les cafés animés et les épiceries colorées. Le tout sous le regard curieux des chats du quartier qui font le guet aux fenêtres.

➜**Accès** : Jordaan : 🚊 13, 14, 17. Haarlemmerbuurt : 🚌 18, 22. Plan détachable B2-3, C1-2 et **plan de quartier p. 77**.
➜**Conseils** : le samedi matin, profitez du marché bio de la place Noordemarkt.

Bloemgracht★ A-B 2

Le paisible **« canal des Fleurs »** a échappé à l'assèchement que connurent nombre de ses voisins. Ses quais, où étaient établis les fabricants de peinture, ont conservé ses belles et harmonieuses demeures ornées de **pierres de façade** que vous prendrez plaisir à détailler (👣 *encadré p. 78*). Les trois maisons à pignons à redents des nos 87 à 91 arborent ainsi un fermier, un paysan et un marin. Voir aussi le pélican du no 19, la licorne du no 23, la truite du no 34 ou le semeur du no 77.

Le canal comblé de **Rozengracht**, un peu plus au sud, est un axe animé qui divise le quartier en deux. Au no 184 se dresse la demeure où Rembrandt, ruiné, passa les ultimes années de sa vie.

De Looier, au sud de Rozengracht est un beau marché d'antiquités (👣 *« Nos adresses/Shopping » p. 40*).

Egelantiersgracht★ A-B 2

Ce petit canal arboré et bordé de belles demeures des 17e et 18e s. a su garder son **charme typique**. Il est devenu une adresse recherchée et n'est plus guère peuplé par les ouvriers qui animaient jadis ses quais. Des embarcations chatoyantes ajoutent une touche de couleur à cette paisible carte postale. Ne vous privez pas d'une halte à la terrasse idyllique du café brun 't Smalle (👣 *« Nos adresses/Prendre un verre » p. 33*). Et prenez le temps de pénétrer dans le **Sint-Andrieshofje** (nos 107-141), au couloir d'accès tapissé de faïence de Delft et aux portes penchées, et dans les trois courettes de l'**Anslo's Hofje** (1616 - *Egelantiersstraat 28-50*).

Karthuyzer Hofje B2

Karthuyzerstraat 89-171. Aménagé en 1650 par l'architecte municipal Daniël Stalpaert, le charmant enclos

Egelantiersgracht, Jordaan.

des Chartreux est le plus grand *hofje* d'Amsterdam. Construit à l'emplacement d'un ancien monastère de chartreux, il était réservé aux veuves à qui l'on distribuait de la nourriture et de la tourbe. Il est doté d'une façade de 70 m et de deux jardins sous les arbres. À quelques pas de là, l'adorable **Suyckerhoff Hofje** de 1670 *(Lindengracht 149-163)* s'avère fleuri et colonisé par des chats sympathiques.

Noordemarkt B2

Située au bord du canal Prinsengracht, cette agréable place bordée de cafés est dominée par la **Noorderkerk** (église du Nord). Construite en 1623 par Hendrick de Keyser, architecte de deux grands autres édifices cardinaux amstellodamois (& « Westerkerk » p. 60 et « Zuiderkerk » p. 90), il s'agit de l'une des églises protestantes les plus anciennes de la ville. Grâce à son plan centré en forme de croix grecque, les fidèles pouvaient entendre intelligiblement le prêche énoncé depuis la chaire centrale.

Les jours de marché, l'église disparaît presque derrière les stands colorés. Ne manquez pas **Boerenmarkt**, marché de produits biologiques où s'empilent les meules géantes de délicieux fromages de ferme. Le lundi, place aux puces (Noordermarkt) ! & « Nos adresses/ Shopping » p. 40.

Brouwersgracht★★ B2

(Canal des Brasseurs)

Ce canal paisible doit son nom aux brasseries qui jalonnaient autrefois ses quais. Les habitants du Jordaan buvaient, dit-on, en moyenne 250 litres de bière par an et par personne, une boisson qui revenait en effet souvent moins cher que l'eau. Le canal mérite un détour pour ses **magnifiques entrepôts restaurés**, dont les lourds volets colorés se reflètent dans l'eau au milieu des péniches et des maisons flottantes. Certains portent glorieusement les armes de la ville ou sont baptisés du nom de cités lointaines (Dantzig, Spitsbergen), souvenirs

La révolte de l'Anguille

Comblé à la fin du 19ᵉ s., le Lindengracht (le « canal des Tilleuls ») garde le souvenir de la révolte de l'Anguille (Palingproer), qui éclata lors de la fête populaire dite « du Tir à l'anguille » (Palingtrekken). Le jeu consistait à saisir une anguille frottée au savon pour la rendre plus glissante et attachée vivante à une corde, que l'on tendait au-dessus du canal. En équilibre sur leurs barques, les hommes finissaient bien souvent à l'eau, sous les rires du public. Considérée comme cruelle, cette pratique avait été interdite quelques années auparavant, mais la population par essence rebelle du Jordaan n'en avait cure. Le 25 juillet 1886, la police s'interposa. Un policier coupa la corde et l'anguille vint frapper le visage d'un participant, ce qui déchaîna la colère des habitants. Les festivités dégénérèrent en émeute, qui fit vingt-cinq victimes.

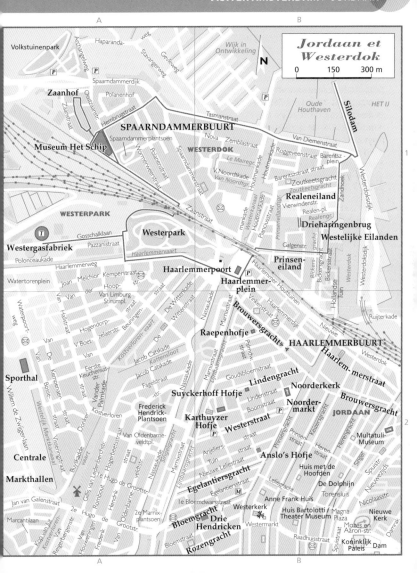

Jordaan et Westerdok

des difficiles expéditions maritimes des navigateurs locaux. Voyez les nos 118, 172 et 212, particulièrement remarquables, tout comme la superbe perspective depuis le petit pont Oranjebrug. À l'angle du Brouwersgracht et du Prinsengracht, remarquez la splendide maison à double pignon à redents, qui abrite le café Papeneiland (🕭 p. 33). Enfin, sur **Palmgracht**, ne manquez pas le **Raepenhofje**, l'un des plus petits *hofje* de la ville repérable grâce à sa pierre de façade représentant un radis.

Haarlemmerbuurt B 1-2

Ce quartier commerçant, qui sépare le Jordaan des Westerdok (🕭 p. 80), se situe de part et d'autre de l'ancienne route de Haarlem (Haarlemmerstraat) et son prolongement Haarlemmerdijk.

Populaire dès le 18ᵉ s., la rue est aujourd'hui animée par d'originales boutiques de mode et d'excellents traiteurs, pâtissiers et confiseurs (🕭 *« Nos adresses/Shopping »* p. 40). Malgré les attraits commerçants de ces rues, n'oubliez pas de lever de temps en temps les yeux. Voyez ainsi la **West-Indisch Huis** de 1617 *(Haarlemmerstraat 75)*, ancien siège de la Compagnie des Indes occidentales, dont le nom reste lié à l'origine de la fondation de La Nouvelle-Amsterdam, future New York, comme en témoigne, dans la cour intérieure, la statue de Pieter Stuyvesant (1612-1672). Notez aussi le décor marin de la façade du nº 39 de la Haarlemmerdijk, axe qui s'achève par la porte monumentale néoclassique d'**Haarlemmerpoort** (**B1**), construite en 1840 lors du couronnement du roi Guillaume II.

Hofjes et pierres de façade

*Repérables aux multiples numéros attribués à leur entrée unique, les **hofjes** sont d'anciens hospices donnant leur nom aux ensembles architecturaux qui les entourent. Suite à la Réforme de 1578, l'Église ne pouvait s'occuper davantage de loger les démunis. Le relais fut assuré par de riches citoyens ou des associations protestantes qui firent construire ces hospices consistant en de petites maisons organisées autour d'une cour. Le Jordaan en compta une centaine et ceux qui subsistent sont devenus des havres de paix aux jardins soignés. Lorsque vous y pénétrez (lun.-sam. 10h-17h), respectez la tranquillité de ces lieux habités.*

*Les **pierres de façade**, petites enseignes de pierre (gevelsteen), permettaient d'identifier les habitations avant l'introduction des numéros par les Français au 18ᵉ s. Les représentations en relief qui les ornent symbolisaient souvent la profession du propriétaire ou l'emblème de la famille. On en compte encore plus de 600 à Amsterdam (dont une bonne partie dans le Jordaan), un bestiaire et une galerie de métiers que vous vous ferez un plaisir de détailler. L'exercice ayant été remis au goût du jour, vous repérerez des version modernes parfois très imaginatives.*

Au cœur du Jordaan : le Brouwersgracht et ses volets colorés.

Westerdok
(Docks de l'Ouest)

Ancienne zone ouvrière et industrielle en cours de reconversion, le périmètre des docks de l'Ouest a préservé le charme authentique de la vocation maritime séculaire d'Amsterdam. Des anciens entrepôts du 17ᵉ s. aux dernières tendances en matière de logement et de loisirs, partez à la rencontre d'une zone délaissée par les touristes. Passionnés de patrimoine architectural et de reconversion industrielle, ne passez surtout pas votre chemin !

➜**Accès** : Westelijke Eilanden, Westergasfabriek : 🚌 18, 22. Het Ship : 🚌 122. Plan détachable B-C1 et hors plan, **plan de quartier p. 77**.
➜**Conseils** : le quartier se visite idéalement à bicyclette.

Westergasfabriek A1

Haarlemmerweg 8-10 - www. westergasfabriek.com. Les remarquables bâtiments en brique de cette ancienne usine à gaz (1883) ont été transformés en un espace culturel multiforme. Bars, restaurants, cinéma, galeries ont investi les murs et de nombreux événements y sont régulièrement organisés (**⊙** *«Nos adresses/Sortir » p.* 35). Autour, les pelouses du **Westerpark** invitent à la détente.

Westelijke Eilanden★ B1

(Îles de l'Ouest)
Ces trois petites îles artificielles, situées juste au nord d'Haarlemmerbuurt, furent aménagées à partir du 17ᵉ s. pour recevoir diverses activités portuaires. Isolées de la ville par la ligne ferroviaire, elles se transforment peu à peu en zones résidentielles. S'y côtoient immeubles modernes, maisons flottantes, ateliers et édifices du Siècle d'or, reliés par d'adorables ponts. **Prinseneiland** possède un bel ensemble d'entrepôts

rénovés. **Realeneiland** jouit d'une vraie ambiance portuaire avec ses embarcations en tous genres et son ancien marché au sable bordé de demeures des 17ᵉ et 18ᵉ s. La digue artificielle de **Silodam** (19ᵉ s.) qui s'avance dans l'IJ accueillait de grands silos à grains aujourd'hui convertis en habitations. S'y ajoute un édifice résidentiel, aux allures de bateau container multicolore (2000).
En juin, les ateliers d'artistes font portes ouvertes *(www.oawe.nl)*.

Museum Het Schip★ A1

Spaarndammerplantsoen 140 - ℘ (020) 418 28 85 - www.hetschip.nl - merc.-dim. 13h-17h - 5 €.
Création phare de l'école d'Amsterdam, « le Bateau » (1921) est l'œuvre de Michel De Klerk (1884-1923). Cet immeuble, entouré de divers types de logements, montre des courbes animées et une flèche expressionniste (tel un cigare) remarquable. Non loin, le complexe de **Zaanhof** (1919) se caractérise son style néo médiéval et son espace vert central.

Le quartier des musées★★★

La Museumplein, ou esplanade des musées, rassemble autour d'un vaste espace gazonné les trois plus grands musées d'art de la ville : le Rijksmuseum, le musée Van Gogh et le Stedelijk Museum. Vous ferez la queue avec des touristes du monde entier pour admirer La Laitière *de Vermeer,* La Ronde de nuit *de Rembrandt ou* Les Tournesols *de Van Gogh. Pour se remettre de ces émotions artistiques, rien de tel qu'une balade romantique le long des fraîches allées du Vondelpark, le poumon vert du centre-ville.*

➜**Accès** : 🚊 2 et 5 à partir du centre-ville. Plan détachable A-B-C 6 et **plan de quartier p. 86-87**.

➜**Conseils** : pensez à acheter vos billets à l'avance sur le site Internet du musée ou auprès du bureau AUB (👆 *p. 18*).

Rijksmuseum★★★ C1

Jan Luijkenstraat 1 - 📞 (020) 674 70 00/47 - www.rijksmuseum.nl - 9h-18h, nocturne le vend. 18h-20h30 - fermé 1ᵉʳ janv. ; dernière entrée 30mn av. fermeture - 10 €. Audiotour (4 €). Durant les travaux, un centre d'information sur le nouveau Rijksmuseum est ouvert dans le jardin du musée (jeu.-mar. 11h-16h).

👁 Le Rijksmuseum subit actuellement d'importants travaux de rénovation prévus jusqu'à la fin 2009. En attendant, seule est ouverte au public l'**aile Philips**, qui présente 400 **chefs-d'œuvre du Siècle d'or★★★**.

Histoire du musée – Créée par les Français à La Haye en 1798, la première collection du Rijksmuseum est transférée à Amsterdam en 1808 par Louis Bonaparte, frère de Napoléon Iᵉʳ, qui y adjoint la célèbre *Ronde de nuit* de Rembrandt. La collection est d'abord hébergée dans le Palais royal puis dans la Trippenhuis, avant que Pierre Cuypers (1827-1921) n'entreprenne, de 1875 à 1885, l'édification de l'imposant bâtiment néogothique actuel.

Rez-de-chaussée – La prospérité marchande des Pays-Bas au 17ᵉ s., et la Compagnie des Indes orientales, sont notamment présentés à travers la maquette du navire *William Rex* (1698). Les enfants (ou les grands enfants), s'émerveilleront devant les superbes maisons de poupée (passe-temps favori des femmes du 17ᵉ s.) aux meubles et ustensiles lilliputiens. Certaines de ces maisons coûtaient le prix d'une demeure réelle ! Passé la salle du Trésor et ses précieuses pièces d'orfèvrerie et d'argenterie, vous admirerez une belle collection de faïences de Delft dont on retiendra les fameuses tulipières.

Premier étage – Parce que les perles du musée y sont concentrées, les plus pressés d'entre vous s'y précipiteront. Le début du 17ᵉ s. voit le développement des différents genres : portraits, natures mortes, paysages, etc. Ne manquez pas l'exquis **Paysage d'hiver avec patineurs★** (v. 1609) d'Hendrick Avercamp, composé d'une foule de personnages miniatures. Parmi les œuvre du célèbre portraitiste Frans Hals (**♿** *p. 103*), remarquez la représentation particulièrement vivante du **Joyeux Buveur★** (1628-1630). Cette salle abrite aussi le **Portrait d'une fillette en bleu★** (1641), de Jan Cornelisz Verspronck (1597-1662), qui, malgré son jeune âge, est vêtue à la manière d'une adulte. Admirez aussi les perspectives rigoureuses de l'**intérieur de l'église St-Bavon à Haarlem★** (1637) de Pieter Saenredam, spécialiste de la peinture d'architecture.

Une vingtaine de toiles de **Rembrandt** (et de ses élèves) font ralentir le pas des visiteurs : scènes bibliques, portraits, paysages. Sa vie durant, le maître s'est également raconté à travers des autoportraits, parmi lesquels l'**Autoportrait de jeunesse★★** (v. 1628) et l'**Autoportrait en apôtre Paul★★** (1661). Le **Syndic des drapiers★★** (1662), où les personnages fixent le spectateur, compte parmi les meilleurs portraits de groupe de l'artiste. Autre grande vedette du musée, **La Fiancée juive★★★** (1667) présente une scène empreinte de tendresse et d'intimité.

Parmi les **grands paysagistes** du Siècle d'or, Jacob van Ruisdael impose son talent, dont la **Vue de Haarlem★★** (v. 1670) est un exemple éloquent. Quatre des trente tableaux de **Johannes Vermeer** parvenus jusqu'à nous sont exposés. Le peintre « de la

vie silencieuse » s'est consacré, durant toute son existence, à la scène de genre située en intérieur. Ses œuvres sont dépourvues de récit, ses protagonistes absorbées par leur occupation. Cet état propre à la figure centrale du tableau est relayé par un traitement exceptionnel de la lumière, une grande subtilité dans le rapport des couleurs et une attention aux détails. **La Laitière★★★** (v. 1658) est peinte avec tant de vérité que l'on s'attend à entendre couler le lait. **La femme en bleu lisant une lettre★★★** (v. 1662-1663) frissonne d'émotion alors qu'elle ne laisse rien transparaître de ses sentiments. Enfin, entrevue par une porte ouverte, la scène intimiste de **La Lettre d'amour★★** (v. 1669-1670) rappelle les compositions de Pieter De Hooch.

Suit une sélection restreinte des œuvres de **Jan Steen** (1626-1679) le grand maître de la peinture de genre, connu pour ses scènes de fête et de taverne, comiques et un rien débauchées.

Voici enfin **La Ronde de nuit★★★** (1642), l'œuvre phare de Rembrandt, un formidable portrait de milice bourgeoise, aux personnages représentés en action. Il fut caché dans des grottes près de Maastricht pendant la Seconde Guerre mondiale.

Le reste des collections – Il devrait être entièrement restructuré. Signalons notamment les importantes sections **sculpture et arts décoratifs★★★** (nombreux objets du 15ᵉ au 20ᵉ s.), **art asiatique★** (500 objets provenant du sous-continent indien, du Cambodge, de l'Indonésie, du Japon et de la Chine,

Le Syndic des drapiers de Rembrandt au Rijksmuseum.

auxquels une belle place devrait être faite dans le nouveau musée), sans oublier la section des costumes et textiles (costumes néerlandais des 18e-19e s., tapis d'Orient, dentelles et damassés), le **cabinet des Estampes★★** (le fonds rassemble plus d'un million de dessins et gravures du 15e s. à nos jours) et la **peinture néerlandaise des 18e et 19e s.★**.

Musée Van Gogh★★★ C2

Paulus Potterstraat 7 - ✆ (020) 570 52 00 - www.vangoghmuseum.nl - 10h-18h (vend. 22h) - fermé 1er janv. - dernière entrée 30mn av. fermeture - 12,50 €. Pensez à acheter vos billets à l'avance sur le site Internet ou auprès du bureau AUB. Audiotour (4 €). Les expositions temporaires bénéficient aussi des nocturnes du vendredi.

La plus importante collection d'œuvres de Vincent van Gogh (1853-1890) attire quotidiennement des hordes de visiteurs du monde entier. Aux 7 carnets de croquis, 200 tableaux, 580 dessins et 750 lettres manuscrites s'ajoutent des œuvres d'artistes qui influencèrent le peintre ou qui s'inspirèrent de son travail : Toulouse-Lautrec, Gauguin, Monet et Redon. Inauguré en 1973 et édifié par Gerrit Rietveld, ce musée cubique et lumineux expose par roulement dessins et manuscrits, au côté de la superbe collection permanente retraçant le parcours de l'artiste : des sombres toiles du début aux violentes tonalités des dernières années, des Pays-Bas à Auvers-sur-Oise (en passant par Paris, Arles et St-Rémy-de-Provence).

Après avoir peint les paysans de son pays natal (**les Mangeurs de pommes de terre★**), Van Gogh s'établit à Montmartre et découvre les impressionnistes. De cette période, notez ses **autoportraits★★** ou la magnifique **Nature morte avec coings et citrons★★**. Inspiré par la lumière arlésienne, il réalise en 1888 **Semeur★★★**, **Bateaux de pêche sur la plage de Sainte-Maries-de-la-Mer★★** et **Les Tournesols★★**. Les troubles psychologiques, l'angoisse et le désespoir qui rongent l'artiste se ressentent dans les tableaux marquants des deux dernières années de sa vie (1889-1890) : **Les Iris★★** ou **Champs de blé aux corbeaux★★★**.
Dans le pavillon de forme ovale (1999, Kisho Kurokawa) sont organisées des expositions temporaires qui éclairent la vie artistique à l'époque de Van Gogh.

Stedelijk Museum★★★ C2

(Musée municipal d'art contemporain)

Paulus Potterstraat 13 - www.stedelijk.nl - 10h-18h - 9 €.

👁 Le musée est fermé pour travaux jusqu'à fin 2009, un projet de rénovation est en cours qui doublera sa surface, avec l'adjonction d'une aile moderne au bâtiment néo-Renaissance (1895) d'origine. Une partie des collections pourrait être exposée au musée Van Gogh durant l'été 2009 (se renseigner). Les extraordinaires collections comprennent des œuvres couvrant la **période de 1850 à nos jours** : peintures, sculptures, dessins, affiches, photographies. On admire des peintures de Cézanne, Kandinsky, Malevitch, Chagall, Mondrian, Picasso, De Kooning et Lichtenstein. Les tendances les plus récentes sont également représentées, et des expositions temporaires de grande qualité organisées.

Vondelpark A2-B2

(Parc Vondel)
Crée en 1864 par D.J. Zocher, ce vaste jardin à l'anglaise de 48 ha faisait partie de la ceinture verte voulue à l'époque. L'agglomération ne manque pas aujourd'hui de poumons verts, mais Vondelpark, qui doit son nom à un célèbre poète du Siècle d'or, demeure l'un des plus prisés. De beaux arbres (120 espèces), des pelouses, une roseraie et des étangs sinueux forment un ensemble apprécié des promeneurs, des cyclistes et des adeptes de roller. De superbes édifices et demeures bordent les rues alentour. Voyez le **Hollandsche Manege** (Vondelstraat 140), manège équestre (1882) de A.L. van Gendt, décoré de stuc et de fer forgé, ou encore la **Vondelkerk** (Vondelstraat 120), sanctuaire néogothique de 1880. Le « café-soucoupe-volante », 't Blauwe Theehuis, est la vigie du parc (& « Nos adresses/Prendre un verre » p. 34).

CoBrA Museum (hors plan)

(Musée CoBrA)
Sandbergplein 1, quartier Amstelveen - 🚋 *5 à partir du quartier des musées, arrêt Binnenhof,* Ⓜ *arrêt Amstelveen Centrum -* ✆ *(020) 547 50 50 - www.cobra-museum. nl - mar.-dim. 11h-17h - fermé 1er janv., 30 avr. et 25 déc. - 9,50 €.*
Les formes géométriques de ce bâtiment lumineux (Wim Quist -1995) abritent les collections CoBrA. Situé **tout au sud de l'agglomération**, ce musée rend hommage au mouvement expérimental (**Co**penhague, **Br**uxelles, **A**msterdam), qui rompit avec l'académisme artistique de l'après-guerre.

85

Pour ne pas confondre Hollande et Pays-Bas...

Située à l'ouest du territoire néerlandais et au nord de l'Escaut, la Hollande (Holt Land, terre boisée) est l'âme historique du pays. Constituée par les provinces de Hollande-Septentrionale et de Hollande-Méridionale, elle compte en son sein les trois villes principales du pays : Amsterdam, La Haye et Rotterdam. Cette région, la plus riche et la plus peuplée, concentre les administrations principales : la Couronne, le Gouvernement et le Parlement à La Haye, la Bourse et les banques à Amsterdam, les assurances à Rotterdam (également le port principal). C'est parce que la Hollande exerça un rôle capital au sein des Provinces-Unies, et qu'elle rayonna dans le monde entier via les échanges commerciaux, que les habitants des Pays-Bas furent et sont souvent désignés sous le nom de Hollandais.

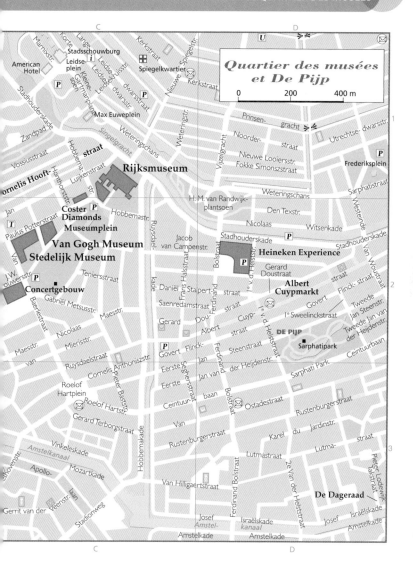

Quartier des musées et De Pijp

0   200   400 m

De Pijp

Au sud du centre-ville, à l'est des grands musées, De Pijp se développa à partir de 1870 pour loger les ouvriers. Cette île trapézoïdale, reliée au reste de la cité par seize ponts, doit, dit-on, son nom particulier (« la pipe ») à ses rues jadis longues et étroites (des canaux comblés). C'est un quartier animé jalonné de nombreux cafés, restaurants et magasins. Découvrez en flânant ce monde sympathique où se côtoient des artistes, des étudiants et des habitants de nombreuses nationalités (Surinamiens, Turcs, Indonésiens, Maghrébins...).

➜**Accès** : depuis le Dam, 🚋 16 et 24 ; pour De Dageraad, également 🚋 4, 12, 25. Plan détachable C6, D6-8 et **plan de quartier p. 86-87**.

➜**Conseils** : le samedi est de loin le meilleur jour pour parcourir le marché coloré Albert-Cuyp.

Heineken Experience D2

(Brasserie Heineken)
Stadhouderskade 78 - ℘ (020) 523 96 66 - www.heinekenexperience.com - tlj sf lun. 10h-17h, fermé 1er janv., 30 avr. et 25 déc. - 15 € dégustations incluses.
Datant de 1864, la brasserie Heineken a cessé de fonctionner en 1988. Depuis, l'imposant bâtiment de brique (1934) a été reconverti en attraction touristique. La visite guidée (en anglais) se révèle bien faite mais très commerciale.

Albert Cuypmarkt★ D2

(Marché Albert-Cuyp)
Lun.-sam. 10h-18h.
Ce **marché pittoresque et multiculturel**, baptisé du nom d'un peintre paysagiste du 17e s., se tient depuis 1904 sur Albert Cuypstraat. Il affiche fièrement sa double couronne de plus grand marché de la ville et plus long d'Europe. On y vend absolument de tout ! Découvrez-le de préférence le samedi pour plus d'animation et de stands culinaires. Et à mi-chemin, offrez-vous une pause colorée au Bazar (♿ « *Nos adresses/Se restaurer* » p. 29). Une balade sympathique pour s'imprégner de l'atmosphère du quartier et se familiariser avec le drapeau du Surinam ou les pâtisseries marocaines. Le tout proche **Sarphatipark**, créé à la fin du 19e s., est un espace vert particulièrement agréable.

De Dageraad★ D3

Le **quartier ouvrier** de « l'Aube » s'organise autour de Pieter Lodewijk Takstraat. C'est un ensemble de 350 maisons construites entre 1919 et 1922 par Michel De Klerk et Piet L. Kramer pour la coopérative des ouvriers socialistes du diamant. Avec ses **formes insolites**, ses détails décoratifs inventifs, ses toits ondulés en tuiles orange et murs de briques beiges aux lignes courbes, cet ensemble de bâtiments tous différents constitue une des principales œuvres de l'école d'Amsterdam.

Jodenbuurt★
(Le quartier juif)

Du vieux quartier juif, qui s'étendait autrefois de Waterlooplein jusqu'au Nieuwmarkt, ne restent que quelques souvenirs. Ces rues où Rembrandt a croisé la plupart de ses modèles furent en effet détruites pendant et après la Seconde Guerre mondiale. Aujourd'hui livré aux automobiles, dépourvu de constructions anciennes mais animé par un vaste marché aux puces, Jodenbuurt conserve toutefois quelques lieux incontournables qui évoquent Rembrandt, le passé juif et la prospérité d'antan.

➜**Accès** : tous les sites sont à quelques pas de la station Ⓜ Waterlooplein. Plan détachable D 4-5, E4 et **plan de quartier p. 93**.
➜**Conseils** : la venteuse Waterlooplein étant souvent triste et vide le dimanche, préférez les autres jours de la semaine pour la parcourir.

Waterlooplein A2

Le côté sud de cette vaste place, où se tient chaque jour le marché animé de **Waterloomarkt** (*lun.-sam. 9h-17h - meubles et vêtements d'occasion, bijoux ethniques, tissus…*), est fermé par l'imposante silhouette d'un double édifice controversé. Surnommé Stopera (« stop à l'opéra »), ce complexe de 1987 conçu par l'architecte autrichien Wilhelm Holzbauer et par le Néerlandais Cees Dam abrite le **Muziektheater** et **l'hôtel de ville** (Stadhuis). Son édification, au sein d'une ville jusqu'alors très préservée, a suscité une vive polémique menée par les *Provos*. Le théâtre est le siège de l'Opéra national et de la Compagnie nationale de Ballet. Dans le passage entre les deux parties du bâtiment, vous trouverez le **NAP** *(Normaal Amsterdams Peil),* soit le « Niveau normal d'Amsterdam »), par rapport auquel sont calculées les altitudes des Pays-Bas. L'ensemble est matérialisé par trois colonnes de verre remplies d'eau et un schéma des Pays-Bas en coupe transversale. À l'angle sud-ouest de l'hôtel de ville, un monument rappelle la résistance des civils juifs durant la Seconde Guerre mondiale. La **Mozes en Aäron Kerk**, église néoclassique Moïse-et-Aaron (1837-1841 - *Waterlooplein 205*), s'élève à l'est de la place. Elle fut construite à l'emplacement de deux maisons juives, ce qui explique son nom étonnant pour un sanctuaire catholique.
Au sud du Stadhuis, le Blauwbrug (🕯 *p. 69*) permet de rejoindre le quartier de la Ceinture de canaux.

Au nord de Waterlooplein

Une rapide promenade vous mènera à l'extrémité sud du Oudeschans (🕯 *p. 98*), marquée par le charmant petit café brun **De Sluyswacht** (🕯 *«Nos adresses/ Prendre un verre » p. 34*). Cette maison penchée, semble veiller sur l'écluse. Un petit écart par la Sint-Antoniesbreestraat vous mènera à l'**église du Sud** (Zuiderkerk - **A2**) achevée en 1611 d'après un projet d'Hendrick de Keyser et dominée par un **clocher★** de 70 m. Non loin *(Sint-Antoniesbreestraat 69)*, la façade italianisante de la **Pintohuis** (1680) se démarque franchement. Repérable à sa haute cheminée en brique, **Gassan Diamonds** *(A2 - Nieuwe Uilenburgerstraat 173-175 - ℘ (020) 622 53 33 - www.gassandiamonds.com - 9h-17h - visite guidée en plusieurs langues)* est une taillerie de diamants fondée en 1879 par les frères Boas. Cette industrie est introduite à Amsterdam à la fin du 16e s. par les juifs séfarades. Au 19e s., la ville devient la capitale mondiale du diamant grâce aux gisements des colonies sud-africaines. Anvers et sa fiscalité plus avantageuse lui ravit le titre dans les années 1930. **♿ p. 41.**

Rembrandthuis★★ A2

(Maison de Rembrandt)

Jodenbreestraat 4 - ℘ (020) 520 04 00 - www.rembrandthuis.nl - 10h-17h - fermé 1er janv. - 8 €.

En 1639 et pour 13 000 florins, Rembrandt achète cette demeure de 1606, aujourd'hui cernée par les édifices modernes. Il y habite et travaille assidûment jusqu'en 1658, date à laquelle ses créanciers la vendent aux enchères. Ruiné, le peintre terminera sa vie dans le Jordaan *(♿ « Pour en savoir plus » p. 112)*. Grâce à l'inventaire dressé à cette occasion, l'intérieur de la maison a été fidèlement reconstitué. Un escalier en colimaçon dessert le salon de réception où le peintre recevait ses

clients, la *Kunst Caemer* (Cabinet d'art), d'où il tirait son inspiration, la cuisine ou encore l'atelier où il initiait ses élèves aux techniques de l'eau-forte et du clair-obscur. Dans la nouvelle aile du musée, les quelque 290 **gravures** exposées par roulement montrent le talent exceptionnel de Rembrandt, quand il illustre des scènes impitoyablement réalistes (vie quotidienne, « trognes »). Des démonstrations présentent les techniques de la gravure à l'eau-forte.

Joods Historisch Museum★ A2

Nieuwe Amstelstraat 1 - ℘ (020) 531 03 10 - www.jhm.nl - 11h-17h - fermé fêtes juives - 7,50 €.

Le **Musée historique juif**, situé au sud de la M. Visserplein, occupe depuis 1987 quatre synagogues ashkénazes. La Grande Synagogue (Grote Synagoge) a été réalisée par Daniel Stalpaert en 1671. À cet édifice, devenu trop petit, se sont ajoutées successivement la Seconde (Obbene, 1685), la Troisième (Dritt, 1700) et la Nouvelle Synagogue (Nieuwe Synagoge, 1752), reconnaissable à ses colonnes ioniques et à sa coupole. Dans la **Grande Synagogue★**, où est conservé une arche (1671) en marbre, plusieurs thèmes religieux tels que l'année juive et ses fêtes sont développés à l'aide d'objets cultuels et cérémoniels. Remarquez aussi, à l'entrée, le **mikveh★** qui servait aux bains rituels. Les galeries et les salles de la Nouvelle Synagogue sont consacrées à l'histoire des Juifs aux Pays-Bas de 1600 à nos jours. Vous y découvrirez la vie de la

Autoportrait : Rembrandt aux yeux hagards (1630).

communauté au gré des changements de régime, les activités commerciales, les personnalités marquantes comme le philosophe **Spinoza** (1632-1677) et le drame de la Seconde Guerre mondiale.

Portugees-israëlitische Synagoge (Esnoga)★ A2

(Synagogue portugaise-israélite)
M. Visserplein 3 - ℰ (020) 624 53 51 - www.esnoga.com - avr.-oct. : dim.-vend. 10h-16h ; nov.-mars. : dim.-jeu. 10h-16h, vend. 10h-14h - fermé sam. et fêtes juives - 6,50 €.
Construit en 1675 par Elias Bouman pour le culte des trois congrégations de Juifs portugais qui venaient de fusionner, ce sanctuaire de brique rouge domine M. Visserplein de toute sa rectitude. Comme en témoigne le tableau d'Emmanuel de Witte, visible au Rijksmuseum (𝕔 p. 81), l'intérieur est resté tel qu'au 17ᵉ s. (sans électricité ni chauffage), avec ses larges voûtes en berceau, ses hautes colonnes, son

arche sainte en bois de Jacaranda et ses lustres hérissés de bougies. Remarquez l'absence de rideau *(parokhet)*, inconnu dans la tradition juive hispano-portugaise. Esnoga possède une des principales bibliothèques judaïques du monde, **Ets Haim** *(accès sur rdv)*. Derrière la synagogue, la statue **Dokwerker** par Mari Andriessen, commémore la grève des dockers, protestant contre la déportation des Juifs d'Amsterdam, le 25 février 1941.

Hermitage Amsterdam★

A2 *Nieuwe Herengracht 14 - ℰ (020) 530 87 51 - www.hermitage.nl - 10h-17h durant les expositions - fermé 1ᵉʳ janv., 30 avr. et 25 déc. - 7 €.*
Installée au bord de l'Amstel, dans un ancien hospice du 17ᵉ s. entièrement rénové, cette antenne du musée de l'Ermitage de St-Pétersbourg accueille des pièces issues des collections réunies par Pierre le Grand et son épouse, Catherine Iʳᵉ.

Brève histoire du Jodenbuurt

Le quartier se développa dès le 16ᵉ s avec l'arrivée de familles séfarades qui fuyaient l'Inquisition. À la suite de l'Union d'Utrecht et de la chute d'Anvers en 1585, Amsterdam vit débarquer un nouveau flot de réfugiés, rejoints dans les années 1630 par les communautés ashkénazes d'Europe centrale. En 1795-1796, les Juifs obtinrent enfin l'égalité des droits et au début du 19ᵉ s., le Jodenbuurt était l'un des quartiers les plus denses de la cité, l'un des plus commerçants aussi, peuplé de libraires, de marchands, de tailleurs de diamants. Dans les années 1930, suite à l'arrivée d'Hitler au pouvoir, des Juifs allemands vinrent grossir la communauté locale qui passa ainsi de 60 000 à 110 000 personnes. Malgré la résistance des Néerlandais, les Juifs des Pays-Bas subirent les persécutions nazies et furent déportés dans les camps de concentration. À la libération en 1945, on ne comptait plus que 5 000 survivants…

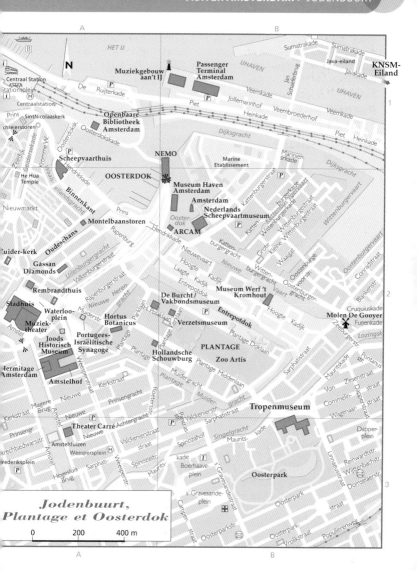

Jodenbuurt,
Plantage et Oosterdok

0   200   400 m

Plantage★

Urbanisé à la fin du 19ᵉ s. et aujourd'hui résidentiel, le Plantage doit son nom d'origine française à la place accordée aux espaces verts : parcs, jardins botanique et zoologique. Longtemps habité par une population bourgeoise, issue notamment de la communauté juive amstellodamoise, ce quartier aéré offre aux visiteurs la possibilité de voyager à travers le temps et l'espace grâce à ses curiosités variées et passionnantes.

➔**Accès :** `Tram` 9 et 14 à partir du centre historique et `Tram` 10 à partir de Leidseplein. Plan détachable E4, F4-5 et **plan de quartier p. 93**.
➔**Conseils :** un jour de pluie est idéal pour « faire le tour du monde » à l'abri du passionnant Tropenmuseum.

Hortus Botanicus A2

Plantage Middenlaan 2a - 𝒫 (020) 625 90 21 - www.dehortus.nl - lun.-vend. 9h-17h, w.-end 10h-17h ; juil.-août 19h ; déc.-janv. 16h - fermé 1ᵉʳ janv. et 25 déc. - 7 €. Visite guidée : dim. 14h, 1 €/pers.
Le **jardin botanique** a été aménagé au 17ᵉ s. à la demande des pharmaciens et des médecins d'Amsterdam, qui réclamaient un jardin de plantes médicinales. Grâce aux périples internationaux des bateaux de la Compagnie des Indes, le jardin fut rapidement planté de centaines d'espèces. L'anecdote signale que les premiers plants de café (de l'arabica) qui poussèrent hors d'Afrique ont germé ici. Aujourd'hui, malgré sa petite taille, le jardin rassemble près de **4 000 plantes**, réparties le long des allées, dans la palmeraie et dans la belle « **Maison des trois climats** ». En juillet-août, des activités sont organisées dans le jardin : concerts, pièces de théâtre, expositions, visites guidées, etc. Programme sur le site Internet.

Le café-restaurant L'Orangerie (♿ « *Nos adresses/Se restaurer* » p. 29) est une halte particulièrement agréable.

De Burcht/ Vakbondsmuseum A2

(Musée national du Syndicalisme)
Henri Polaklaan 9 - 𝒫 (020) 624 11 66 - www.deburcht.org - mar.-vend. 11h-17h, dim. 13h-17h - fermé j. fériés - 2,50 €.
En 1894, Henri Polak (1868-1943) fonde le Syndicat national des tailleurs de diamants (ANDB) qui siégera à partir de 1900 dans cet imposant bâtiment de Hendrick Petrus Berlage (1856-1934). Celui-ci est très vite surnommé De Burcht, la « **forteresse** », notamment en référence à son aspect extérieur évoquant la force et l'unité du syndicat. À l'intérieur, vous remarquerez surtout la superbe **cage d'escalier**★ en brique vernissée, éclairée par une verrière et un remarquable **luminaire**★, qui préfigurent l'Art déco – un puits de lumière symbolisant l'aspiration à une meilleure société. Les peintures murales et les inscriptions qui ornent les diverses

salles ont été pensées de concert.
Voyez notamment au premier étage, la
peinture de Roland Holst (1868-1938)
représentant l'idéale journée de travail
de huit heures. Le musée est consacré à
l'histoire et aux actions du syndicalisme.

Verzetsmuseum★ B2

(Musée de la Résistance)
*Plantage Kerklaan 61 - 📞 (020) 620
25 35 - www.verzetsmuseum.org - mar.-
vend. 10h-17h, sam.-lun. 11h-17h - fermé
1er janv., 30 avr. et 25 déc. - 6,50 €.*
Ce musée propose un **parcours
chronologique et interactif** très bien
fait à travers l'histoire de la Résistance
aux Pays-Bas de 1940 à 1945. Une visite
dense qui s'effectue à travers rues et
maisons reconstituées et s'achève par
des expositions temporaires.
Outre les horreurs subies au cours
de cette période, une large place est
consacrée à la **vie quotidienne en
temps de guerre** et aux dilemmes
auxquels la population néerlandaise dut
faire face : les alertes, la propagande
nazie, la résistance, la fabrication de faux
documents, etc.
Les lettres d'adieu jetées hors des trains
par les déportés et les étoiles jaunes
rappellent la déportation de plus de
100 000 Juifs. D'autres objets tels que
postes de radio de fortune, jeux d'échecs
et sapins de Noël fabriqués en prison
témoignent de l'ingéniosité humaine
dans l'adversité.

Hollandsche Schouwburg

A2 - *Plantage Middenlaan 24 -
📞 (020) 531 03 40 - www.
hollandscheschouwburg.nl - 11h-16h -
fermé fêtes juives - entrée libre.*
Un monument commémoratif et une
petite exposition rappellent que cet
ancien théâtre a servi de camp de transit
pour les Juifs entre 1942 et 1943.

Zoo Artis★ B2

*Plantage Kerklaan 38-40 - 📞 (020) 523
34 00 - www.artis.nl - 9h-17h (18h en été) ;
nocturne jusqu'à 22h sam. en juil.-août -
17,50 € (3-9 ans 12,50 €). Heures des repas :
rapaces 11h, grands fourmiliers 12h,
pélicans 14h, crocodiles 14h30, fauves 15h,
pingouins 15h30, otaries 11h30 et 15h45.*
Communément appelé Artis, ce zoo
créé en 1838 sous le nom Natura
Artis Magistra (« la nature, maîtresse
de l'art ») est l'un des plus anciens
d'Europe. Vous parcourerez ses 14 ha,
ses bâtiments néoclassiques et ses
installations modernes, à la découverte
de centaines d'espèces animales.
L'**aquarium★**, un édifice de 1882,
mérite une attention particulière
avec sa section consacrée aux formes
de vie dans les canaux d'Amsterdam
(👆 encadré p. 96). Le zoo est complété
par bâtiment un **Musée zoologique**
(Zoölogisch Museum), un **Musée
géologique** (Geologisch Museum) qui
raconte la formation de la Terre, ainsi
qu'un **planétarium**.
Si vous poursuivez vers le nord en
sortant du zoo, vous atteindrez les quais
de l'Entrepotdok *(👆 p. 99)*.

Tropenmuseum★★★ B3

(Musée des Tropiques)
*Linnaeusstraat 2 - ☎ (020) 568 82 15/00,
www.tropenmuseum.nl - 10h-17h, sf 5,
24 et 31 déc. 10h-15h ; fermé 1er janv.,
30 avr., 5 mai et 25 déc. - 7,50 € (audiotour
gratuit). Café-restaurant avec agréable
terrasse donnant sur l'Oosterpark.*
Peu visité par les touristes en raison
de sa situation excentrée, ce musée
compte sans nul doute parmi les plus
remarquables de la ville. Il fait partie
de l'Institut royal des tropiques, ancien
Institut colonial, qui décida en 1926
de glorifier la Couronne néerlandaise
en rassemblant les produits et objets
provenant de ses colonies.
Ce gigantesque cabinet de curiosités a
été depuis repensé afin d'offrir au visiteur
une intelligente **rencontre avec les
cultures** d'Afrique, d'Asie, du Moyen-
Orient, d'Océanie et d'Amérique latine.

L'environnement, l'art, la religion et la vie
quotidienne y sont évoqués à l'aide de
photographies et de documents sonores.
L'accent est mis sur la tolérance, le respect
de l'environnement, le développement
durable et la préservation des cultures.
Vous découvrirez ces dernières sous des
angles différents, tantôt celui de l'art,
tantôt celui de la vie quotidienne ou
de la religion. Souk d'Alep, bar animé
du Mexique, pirogues cérémoniales de
Nouvelle-Guinée, textiles indonésiens…
En bref, un beau voyage dans **un musée
passionnant** et riche en couleurs !
L'ensemble est complété par des
expositions temporaires, un théâtre
(voir Nos adresses, Sortir p. 36) et un musée
des Enfants (Kindermuseum).
En sortant du musée, allez vous
détendre dans l'**Oosterpark**, à deux
pas, ou prenez le temps de flâner sur le
marché cosmopolite de **Dappermarkt**
(lun.-sam. 9h-17h).

Plumes des canaux

*Un héron cendré figé qui regarde un chat assis derrière une fenêtre, voilà une scène
banale à Amsterdam !
À l'origine dépotoirs recueillant les déchets de la ville, les canaux sont maintenant
nettoyés quotidiennement par des bateaux spéciaux qui prélèvent chaque année
10 000 vélos et des bateaux coulés ! Les eaux, renouvelées tous les trois jours, sont
si peu polluées que l'on y rencontre une faune abondante. Outre diverses espèces
de poissons, y vivent une grande variété d'oiseaux : canard colvert, bécassine des
marais, grèbe huppé ou mouette rieuse. Un millier de perruches vertes, échappées
du zoo, se sont également très bien adaptées à cet environnement.
♿ L'aquarium du zoo Artis compte une section consacrée aux canaux.*

Oosterdok★★
(Docks de l'Est)

Des bassins historiques, d'où partaient les navires de la Compagnie des Indes, aux îles orientales devenues terrain de jeu des architectes, ce vaste quartier portuaire en reconversion est l'un des plus passionnants de la ville. En parcourant ces quartiers résidentiels, chacun doté d'une identité très personnelle, vous aurez plus que jamais envie... de venir habiter Amsterdam.

➜**Accès** : Bassin principal : Ⓜ Centraal Station. Java/KNSM : en bateau depuis la gare ou 🚌 42. Oostelijke Handelskade/Bornéo : 🚊 26, 10. Plan détachable E2-3, F3-4, G2-3-4, H2-3 et **plan de quartier p. 93**.
➜**Conseils** : louez un vélo pour parcourir les îles orientales, assez éloignées, et faites une halte à l'Arcam qui propose une série d'itinéraires pratiques pour les explorer.

Bassin principal

Oosterdokskade – **A1**. Le quai nord du bassin principal subit une radicale transformation. L'ancienne poste est promise aux pelleteuses et, non loin de l'inattendue pagode chinoise flottante, s'élève la toute nouvelle **bibliothèque centrale** (OBA - 10h-19h), la plus grande du pays. Vous apprécierez cet espace pratique (Internet gratuit) et agréable à vivre. La vue est superbe du restaurant **La Place** (♿ « *Nos adresses/Se restaurer* » p. 29). Plus au nord, au-delà des rails, se dresse la **Muziekgebouw aan't IJ** (**B1** - Piet Heinkade 1) une vaste salle de concert (2005) couverte d'une structure de verre ultra-moderne (♿ « *Nos adresses/Sortir* » p. 35).
Prins Hendrikkade – **A1-2**. Sur le quai sud bordant le bassin principal du port se dresse la formidable Maison de la navigation, la **Scheepvaarthuis**★ (Prins Hendrikkade 108). Construit en 1916 par J.-M. van der Mey, Michel De Klerk et Piet L. Kramer, ce premier et

superbe exemple du style architectural de l'école d'Amsterdam s'est mué en un hôtel de luxe en 2008 (♿ « *Nos adresses/ Se loger* » p. 22). Les longues trouées de fenêtres superposées tracent sur l'édifice des lignes verticales brisées par les diagonales du dessin du toit. Le décor sculpté convoque sirènes, baleines, vagues et bateaux...
Oudeschans★. **A2**. Du pont situé au sud de Scheepvaarthuis, on jouit d'une belle perspective sur ce canal creusé en 1510 sur le tracé de la digue St-Antoine, pour assurer la protection des remparts. On fit édifier, en 1512, la Montelbaanstoren **(tour Montelbaan)**, qui domine le quartier de sa flèche (1606) ajoutée par Hendrik de Keyser.

NEMO★ B1

Oosterdok 2 - ☎ 0 900 919 11 00 - www. e-nemo.nl - mar.-dim. 10h-17h - durant vac. scol. et juil.-août - fermé 1er janv., 30 avr. et 25 déc. - 11,50 €.
Ce bâtiment vert, qui évoque une proue de navire surgissant de l'eau, est dû à

98

l'architecte vedette italien Renzo Piano. Interactives et bien faites, les expositions de ce *Science Center* s'adressent aux enfants de 3 à 16 ans qui joueront à Einstein, piloteront un navire ou découvriront les secrets de la génétique. **Belle vue★** sur la ville depuis le toit. Les bateaux amarrés le long du quai est de NEMO forment le musée à ciel ouvert **Museum Haven Amsterdam** *(www. museumhavenamsterdam.nl).*

ARCAM B2

Prins Hendrikkade 600 - ℘ (020) 620 48 78 - www.arcam.nl - mar.-sam. 13h-17h. Cet insolite édifice de poche drapé de verre et d'aluminium, est l'œuvre de René van Zuuk (2003) et abrite le **centre d'Architecture** d'Amsterdam. Outre les expositions qui s'y tiennent, vous y trouverez une excellente documentation sur l'architecture de la ville.

Nederlands Scheepvaartmuseum★★ B2

Kattenburgerplein 1 - ℘ (020) 523 22 22 - www.scheepvaartmuseum.nl - fermé pour rénovation jusqu'à fin 2010, se renseigner au préalable.
Installé dans l'arsenal de l'amirauté (1656), construit sur 18 000 pilotis, le **musée d'Histoire maritime** musée abrite de passionnantes collections relatives à la navigation des Pays-Bas : maquettes de bateaux, instruments nautiques, peintures, gravures, cartes, atlas **(Atlas Blaeu★)** et mappemondes. Ces derniers rappellent qu'Amsterdam était au 17e s. le centre mondial de la cartographie.

Le superbe **trois-mâts Amsterdam★★** *(amarré près de Nemo ou du musée d'Histoire maritime - mar.-dim. 10h-17h, tlj de mi-juin à mi-sept., fermé 1er janv., 30 avr. et 25 déc. - 5 €)* est une copie du *Batavia*, un navire de commerce du 18e s. de la Compagnie des Indes orientales (VOC) qui coula au large de l'Angleterre en 1749. Cinq années de travail et 400 bénévoles ont été nécessaires pour le faire revivre.

Entrepotdok B2

Les 84 entrepôts (1708-1829) qui bordent ce canal ont été transformés dans les années 1980 en bureaux, logements sociaux et cafés – un exemple réussi de rénovation urbaine ! **Moulin De Gooyer** (Molen De Gooyer - *Funenkade 5.* Ce moulin à farine de 1725, souvent déplacé, compose un cadre agréable pour venir déguster une bière à la brasserie Brouwerij't IJ *(♿ « Nos Adresses/Prendre un verre » p. 34).*

Oostelijk Havengebied★

B1 et hors plan. Parcourez absolument ce formidable **laboratoire architectural !** Outre les maisons et immeubles aux formes et couleurs inattendues, vous y découvrirez un style de vie enviable, tout en pistes cyclables, jardins, terrasses et baies donnant sur l'eau et les péniches à quai.
Entre 1874 et 1927, des langues de terre artificielles furent créées pour accueillir les grands navires industriels. Abandonnées dans les années 1970, suite au déplacement des activités portuaires vers l'ouest, ces îles et

99

ces digues, également surnommées Zeeburg, ont été reconverties en quartiers résidentiels. Le résultat est époustouflant ! Les architectes ont donné libre cours à leurs rêves les plus fous, élevant des mastodontes aux formes insolites, imaginant des variantes de la maison de canal traditionnelle, sculptant dans le béton et dans l'acier de véritables œuvres d'art moderne. Cette nouvelle vitrine d'Amsterdam a pour autre richesse de respecter le principe de mixité sociale, cher à la municipalité.

Java-eiland★ – **B1**. Cette île étroite est coupée dans sa largeur par quatre petits **canaux★** bordés de maisons dont la hauteur et la largeur imposées forment une version contemporaine des demeures du 17e s. L'ensemble est égayé par les barques multicolores des habitants et par neuf petits ponts signés G. Rombouts et M. Droste. Un remarquable tableau d'art moderne !

KNSM-eiland – KNSM abrite trois **méga complexes** résidentiels. Réalisé en 1994 par les Allemands Hans Kollhoff et Christian Rapp, le Piraeus évoque un « dinosaure à la carapace étincelante ». Le complexe **Barcelona★** (1993), du Belge B. Albert, se distingue par sa forme en hémicycle et sa monumentale grille en fer forgé conçue par Narcisse Tordoir. Enfin, l'Emerald Empire, œuvre du Néerlandais Jo Coenen (1996), dresse sa masse à l'extrémité orientale de l'île.

Oostelijke Handelskade – Grâce à ses cafés et lieux de sorties nocturne comme Panama (✆ « *Nos adresses/ Sortir* » p. 36), ce quai est la partie la plus animée de Zeeburg. S'y dresse le

monument le plus emblématique de la reconversion du secteur portuaire : l'hôtel design **Lloyd★** (✆ « *Nos adresses/Se loger* » p. 24), aménagé dans un centre de transit (1918) pour les émigrants européens en partance pour les États-Unis. Non loin, les galeries d'art poussent le long de Veemkade.

Sporenburg et Borneo-eiland – Ces deux petites presqu'îles rassemblent des habitations familiales généralement basses avec terrasse sur le toit ou patio. La première est toutefois marquée par la présence de **The Whale** (1995-2000), un complexe résidentiel conçu par Frits van Dongen. Ses lignes diagonales, qui laissent pénétrer la lumière, dessinent une étrange silhouette de baleine futuriste. Deux remarquables **ponts rouges★**, réalisés en 2001 par le collectif West 8, enjambent le bassin qui sépare les deux presqu'îles. Le plus à l'est, réservé aux piétons, est surnommé **Pythonbrug★** (le « pont du Serpent ») en raison de sa forme ondulante. Notez ses têtes d'aigles particulièrement aérodynamiques. Sur Borneo, ne manquez pas **Scheepstimmerman-straat★★** (à voir du côté canal), fruit d'un projet. En 1999, 60 maisons ont été conçues selon les souhaits de leurs futurs habitants, libres de choisir leur architecte. L'ensemble, finalement uniforme, laisse apparaître de beaux volumes par les larges baies vitrées ouvertes côté canal. Pour prolonger la promenade à travers l'architecture expérimentale, allez découvrir, encore plus à l'est, les nouveaux quartiers résidentiels des îles artificielles de l'**IJburg**.

L'étonnante terrasse du musée NEMO .

Haarlem★★

Quelques minutes suffisent pour rejoindre la capitale historique du comté de Hollande. Fondée au 10e s. (donc plus ancienne qu'Amsterdam) et jadis grande cité des arts, la ville vit aujourd'hui de la culture de ces fleurs à bulbes qui transforment ses alentours en patchwork multicolore. Vous y apprécierez la douceur et l'élégance propre aux villes de la Hollande intérieure, visiterez le superbe musée Frans Hals, et partirez à la recherche de ses charmants hofjes.

➔**Accès** : entre 6h et 1h, train toutes les 10mn entre Centraal Station et Haarlem ; trajet : 15mn ; continuation vers Zaandvoort.

➔**Conseils** : les vélos étant acceptés dans les trains, vous pourrez parcourir Haarlem avec votre bicyclette amstellodamoise et prolonger la balade vers la côte (Zandvoort).

Grote Markt★

(Place du Marché)

Le cœur historique de la ville, toujours très animé, est un vaste espace piéton, bordé à l'est par l'église St-Bavon, à l'ouest par l'hôtel de ville, et au sud par la splendide Vleeshal. Vous y découvrirez également la statue de Laurens Janszoon, dit Coster (1405-1484), considéré aux Pays-Bas comme l'inventeur de l'imprimerie.

Grote of Sint Bavokerk★★

(Grande Église Saint-Bavon)

Oude Groenmarkt 23 - ✆ (023) 553 20 40 - www.bavo.nl - lun.-sam. 10h-16h - 2 €. Édifiée entre la fin du 14e s. et le début du 16e s. dans le style sobre du gothique brabançon, cette imposante église protestante – à ne pas confondre avec la cathédrale catholique St-Bavon (Leidsevaart) – se distingue de loin à son élégante **tour-lanterne**★, en bois recouvert de plomb, de 80 m de haut.

L'espace intérieur est dominé par une splendide **voûte en étoiles**★ en cèdre. Il abrite les **grandes orgues**★ conçues par Christian Müller en 1738. Ornées de sculptures de Jan van Logteren, elles ont longtemps compté parmi les meilleurs instruments du monde. Haendel et Mozart eux-mêmes auraient fait le déplacement. Vous aurez l'occasion de les entendre au cours d'un des concerts donnés en l'église, ou lors du festival d'orgue en juillet (programme sur le site Internet). On remarquera enfin le sol de l'église, entièrement constitué de dalles funéraires. Celle du peintre Frans Hals est signalée par une lanterne, derrière la belle **grille**★ du chœur au remplage en laiton.

Construite en 1769 contre la façade nord de l'église, la **halle aux poissons** (Vishal), accueille des expositions temporaires d'artistes locaux *(✆ (023) 532 68 56 - www.devishal.nl - mar.-sam. 11h-17h, dim. et j. fériés 13h-17h - entrée libre).*

Vleeshal★

(Halle aux viandes)

Cet élégant édifice maniériste fut élevé entre 1602 et 1604 par le Gantois Lieven de Key (1560-1627), afin d'abriter le marché aux viandes, seul endroit autorisé pour la vente de la viande fraîche. Vous remarquerez les pinacles du pigeon à redents et la décoration de la façade (têtes de bœufs et de béliers), dictée par la fonction du lieu. Les caves sont occupées par le **musée archéologique** de Haarlem *(merc.-dim. 13h-17h - entrée libre)*, tandis que, au-dessus, diverses expositions d'art contemporain sont organisées par **De Hallen** (✆ *(023) 511 57 75 - www.dehallen. com - jeu.-sam. 11h-17h, dim. et j. fériés 12h-17h - fermé 1er janv. et 25 déc. - 5 €).*

Stadhuis★

(Hôtel de ville)

Flanqué d'une tourelle de briques, cet édifice gothique du 14e s. a subi de nombreux remaniements au fil des siècles. À droite, un avant-corps à pilastres est surmonté d'un élégant pignon à volutes où niche une allégorie de la justice. À gauche, une très jolie loggia Renaissance domine le perron. Au premier étage, la **salle des Comtes** ou **Gravenzaal** a conservé son cachet ancien *(visite sur rdv - ✆ (023) 511 30 00).*

Les hofjes

Lun.-sam. 10h-17h.

Parmi les nombreuses institutions charitables dont disposaient les habitants de la riche ville de Haarlem à partir du 15e s., vous visiterez le **Proveniershofje** de 1592 ouvrant par un grand porche du Grote Houtstraat *(no 142)*, mais aussi le joli jardin du **Brouwershofje** *(Tuchthuisstraat 8)*, fondé par la guilde des brasseurs en 1472. Ou encore **Bruiningshofje** *(Botermarkt 13)*, petite cour fleurie au fond d'une impasse.

Pour poursuivre la visite des 19 hofjes de la ville, procurez-vous le plan qui leur est consacré à l'office de tourisme VVV Haarlem situé au sein de la gare *(www. vvvzk.nl - tlj sf dim.).*

Frans Hals Museum★★★

(Musée Frans Hals)

Groot Heiligland 62 - ✆ (023) 511 57 75 - www.franshalsmuseum.com - mar.-sam. 11h-17h, dim. et j. fériés 12h-17h - fermé 1er janv. et 25 déc. - 7,50 €.

Au cœur du vieux quartier, le musée vedette de Haarlem est installé depuis 1913 dans un ancien hospice (1610) dont les jolies maisons basses s'organisent autour d'une cour-jardin.

Né à Anvers, **Frans Hals** (1581-1666) est néanmoins un enfant de Haarlem, sa famille s'y étant installé en 1591. Sa carrière picturale se déroule entièrement dans cette ville. Des 240 toiles qui lui sont attribuées émerge une facture alerte et rapide, ainsi que l'importance accordée au visage. Les 195 portraits qu'il exécuta ont bouleversé les traditions jusqu'alors liées au type de composition : de l'espace, des attitudes naturelles, des représentations sans flatterie… Ses portraits collectifs de gardes civiques (dont il fera partie) et de confréries permettent de comprendre toute la virtuosité du naturalisme qu'il a introduit dans la peinture de son pays, ce qui lui vaut le titre de **fondateur de l'école réaliste hollandaise**. Voyez les cinq portraits de groupe mettant en scène les deux milices de Haarlem – une tâche considérable si l'on pense qu'elle représentait l'exécution de 68 portraits… Remarquable pour sa richesse chromatique et la mobilité des personnages, **Le Banquet des officiers de la garde Saint-Georges★★★** (1616) est le premier des cinq. Suivirent un autre **Banquet des officiers de la garde Saint-Georges★★★** (1627), encore un dîner d'adieu, **Rencontre des officiers et sous-officiers de la garde Saint-Adrien★★** en extérieur. À la gaieté et à la couleur de ces œuvres, s'oppose l'austérité toute calviniste des **Régentes de l'hospice des vieillards★** et des **Régents de l'hospice des vieillards★★** (1664), peints alors que Hals avait atteint plus de 80 ans. Le musée, loin de se cantonner aux œuvres de Hals, s'intéresse à la peinture hollandaise des 16e et 17e s, et en particulier au foyer harlémois. Le lieu abrite enfin une collection de mobilier.

Teylers Museum★

(Musée Teylers)
Spaarne 16 - ☏ (023) 531 90 10 - www.teylersmuseum.nl - mar.-sam. 10h-17h, dim. et j. fériés 12h-17h - 7 €.

Situé au bord de la Spaarne, le plus ancien musée public des Pays-Bas (1779) fut fondé grâce au legs de Pieter Teyler van der Hulst (1702-1778), riche négociant de draps et de soieries. Les salles de cet hôtel particulier néoclassique dégagent une atmosphère surannée qui fait tout le charme de la visite – ainsi la salle ovale (1784) aux boiseries sculptées. Les collections présentées témoignent des multiples centres d'intérêt de l'honnête homme : fossiles, monnaies anciennes, estampes, tableaux de l'époque romantique et magnifique **collection de dessins★★** (œuvres de Rembrandt et de Michel-Ange).

Molen De Adriaan

(Moulin De Adriaan)
Papentorenvest 1a - ☏ (023) 545 02 59 - www.molenadriaan.nl - mars-oct. : lun., merc.-vend. 13h-16h, w.-end 10h-16h ; nov.-fév. : lun. et vend. 13h-16h, sam.-dim. 10h-16h - fermé 1er janv., 25 mai, 26 juin, 25-26 et 31 déc. Entrée libre.
Ce beau moulin à galerie noir et blanc, qui domine la Spaarne au nord-est du centre-ville, est l'exacte réplique de l'ancien moulin de 1778, ruiné par un incendie en 1932. Vue panoramique sur la ville depuis la galerie.

Zandvoort

Située à 10 km à l'ouest de Haarlem, la station balnéaire la plus fréquentée du pays déroule son ruban de villas et d'hôtels, entre plage sans fin et beaux cordons de dunes. Une belle rencontre avec la mer du Nord !

Le « Banquet des officiers du corps des archers de St-Adrien » (détail) par F. Hals.

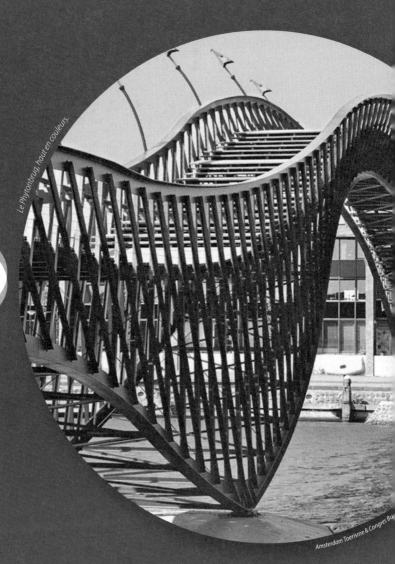

Le Phytonbrug, haut en couleurs.

Amsterdam Toerisme & Congres Bureau

Pour en savoir plus

Une cité « gezellig » ?

Gezellig ! Ce mot à la consonance qui « chatouille » permettrait à lui seul de décrire Amsterdam : **sympathique, chaleureuse, conviviale, tolérante**… Telle est sa réputation. Et après quelques pas dans cette ville pas comme les autres, la première impression semble le confirmer. Mais qu'en est-il en réalité ?

L'Amstellodamois

À quoi le reconnaît-on ? Si sa manière de prononcer avec insistance les « o » et les « a » n'est pas évidente pour le visiteur étranger et si son origine populaire se vérifie de moins en moins, son sens de l'échange et de l'entreprise est en revanche assez évident. Mais il est bien difficile de généraliser, car à l'instar d'autres capitales du monde occidental, beaucoup de ses habitants n'y sont pas nés, mais sont venus y étudier ou y trouver leur emploi. **Évolution démographique et changements économiques** ont bouleversé la composition et la répartition de sa population, désormais plus jeune et cosmopolite que dans le reste du pays. La culture populaire, celle qui caractérisait notamment le Jordaan, s'érode. La *gentrification* du centre-ville a engendré le déplacement des familles modestes vers les périphéries. Dans les quartiers historiques et le Jordaan réhabilités se mêlent désormais des professeurs, médecins et jeunes loups de la finance qui logent au-dessus des commerces d'antan reconvertis en restaurants branchés. Les nouveaux quartiers des docks de l'Est et d'IJburg reflètent eux une réelle **mixité sociale**, celle voulue par la municipalité qui impose un quota de 30 % de logements sociaux dans toute construction neuve afin de limiter la création de ghettos qui mettrait à mal le modèle local d'intégration.

Riche de sa diversité

Dès le 16e s., les autorités comprennent le profit à tirer de l'**apport de nouvelles communautés**, de nouvelles idées. La tolérance religieuse favorise alors l'installation de populations persécutées ailleurs (juifs séfarades, sociniens polonais, mennonites de Frise) qui toutes enrichissent Amsterdam, dans tous les sens du terme. Depuis des siècles, cette mixité culturelle favorise l'initiative et la créativité, deux piliers de la réussite de la cité.

Forte de sa tradition d'ouverture, la Venise du Nord abrite aujourd'hui une forte population immigrée – 47 % de ses habitants et **173 nationalités !** Vous croiserez des travailleurs venus du Maghreb et de Turquie dans les années 1960 pour aider au développement du pays, des créoles et hindous du Surinam et des Antilles néerlandaises (anciennes colonies), des Chinois et plus de 100 000 Européens et Nord-Américains. Malgré une politique anti discriminatoire volontaire (la composition du personnel des mairies doit refléter la variété d'origine des habitants), les immigrés d'origine non occidentale se regroupent dans des quartiers périphériques (Nieuwe West, Indische buurt, Zuidoost, de Bijlmer), et des tensions entre populations immigrées et autochtones sont apparues ces dernières années, avec la montée des mouvements d'extrême droite. Les Néerlandais, confiants en leur « société modèle », ont été fortement ébranlés par les assassinats du populiste Pim Fortuyn (en 2002 par un activiste écologiste) et par le cinéaste engagé Theo van Gogh (en 2004 par un islamiste radical). Heureusement, les initiatives se multiplient pour contrer l'isolement et la stigmatisation, et entretenir le dialogue.

La tolérance et ses limites

La réputation d'Amsterdam repose sur le **principe de la tolérance** – une tolérance maîtrisée qui lui permet de mieux prévenir les débordements. Depuis des siècles, les livres et les idées y circulent librement ou presque. Sans accepter une liberté complète, les provinces conditionnées par leur histoire religieuse, les impératifs du commerce et leur structure politique, n'avaient d'autre choix que de permettre pour mieux contrôler.

Dans les années 1960 s'est développé une **culture de la contestation** menée par le **mouvement Provo** (crée en 1965 par Roel van Duyn) : opposition au pouvoir du capitalisme, sensibilisation à l'écologie, squats. Elle accompagna la laïcisation progressive de la société néerlandaise tout en bousculant la vie politique.

Les politiciens néerlandais d'aujourd'hui sont les héritiers de ces traditions de tolérance – voire de contestation. Ils préfèrent la prévention et le contrôle discret, plutôt que l'interdiction qui invite aux débordements. Aux yeux du visiteur étranger, les mesures les plus spectaculaires concernent la **drogue et la prostitution** – visibles à travers les coffee-shops et les vitrines du Quartier rouge. Face à ces maux inévitables, les Néerlandais préfèrent instituer une marge de transgression autour de la ligne d'interdiction – un système qui n'est pas la panacée et qui impose des règles contraignantes et des contrôles fréquents. Autre illustration de ce principe de tolérance, la liberté laissée aux parents dans le **choix de l'établissement scolaire** de leur enfant : publique, laïque, religieuse, à orientation pédagogique alternative, etc. À première vue généreux, ce principe favorise néanmoins le conservatisme et la ségrégation.

Enfin, Amsterdam est devenue le refuge des personnes pratiquant un mode de vie dit différent. Les homosexuels, locaux ou étrangers, y vivent ainsi sans craindre le regard des autres et animent une scène culturelle et artistique très active. La discrimination est condamnée et le mariage entre personnes de même sexe est légalisé depuis 2001, une première mondiale votée la même année que la législation concernant l'euthanasie.

Le grand village

Amsterdam provoque une impression de quiétude. Ses 750 000 habitants l'ont aménagée en privilégiant leur bien-être. Chacun y vit comme il l'entend, tant qu'il ne gêne pas la tranquillité des autres.

car nuls volets ni rideaux ne masquent les fenêtres – quête de lumière dans un pays au soleil avare et affirmation d'une vie sans reproche (héritage du calvinisme).

Cadre de vie exceptionnel

La ville s'apparente à un grand village où les distances sont courtes, où le silencieux vélo est roi. Chaque quartier est **animé** par des marchés et des petits commerces qui se maintiennent grâce à l'interdicti on faite aux grandes surfaces de s'implanter. La vie sociale est entretenue par les cafés fréquentés à tout âge. **Ville et nature se côtoient** en un heureux dialogue. L'eau est omniprésente. Les « parcelles vertes » apportent leur note de fraîcheur sur l'échiquier urbain : 28 parcs aux airs de campagne anglaise, cours intérieures des immeubles (*hofjes* anciens ou en version moderne), jardins cachés. La municipalité tient à la qualité de l'eau et de l'air, et redéfinit sa politique environnementale tous les quatre ans. Avec les beaux jours, la limite entre **espaces public et privé** s'estompe. Faute de place chez soi, les goûters ou les soirées entre amis se tiennent dans les parcs. Les trottoirs prolongent les maisons et deviennent terrains de jeux ou terrasses pour prendre l'apéritif avec les voisins. Certains y installent un banc ou plantent quelques fleurs. Les Amstellodamois livrent leur **espace intime** aux regards de leurs voisins,

Logements atypiques

Rançon de son succès, Amsterdam souffre du **manque d'espace** et se loger relève du parcours du combattant. Les trois quarts des propositions sont des locations et logements sociaux dont les listes d'attente s'étendent sur cinq ans ! Ce problème est l'occasion pour les Néerlandais de monter toute leur **créativité** : maisons flottantes, péniches aménagées, containers entassés se transforment en cité universitaire, entrepôts, silos, moulins ou stations de pompage rénovés, etc. Les projets à grande échelle concernent les docks de l'est (Oosterdock) devenus le laboratoire des architectes audacieux et les nouvelles îles artificielles de l'IJburg. Enfin, les espaces abandonnés n'étant pas forcément occupés, des **squatteurs**-activistes animent un réseau efficace qui recherche les logements vides. Héritiers du mouvement Provo, ils accusent les promoteurs de spéculer sur les immeubles laissés à dessein inoccupés. Pour les contrer, les sociétés de construction louent les logements vacants pour une courte période et à bas prix, en attendant le début des travaux…

À la conquête du monde

Enrichis par la fermeture du port d'Anvers (1585), les Hollandais se lancent à la conquête du monde sous la houlette de navigateurs tels Barents, Hudson et Tasman.

Les Compagnies des Indes

En 1597, trois navires amstellodamois reviennent de Java. Les récits des marins et les chargements exotiques (dont du poivre) enflamment l'esprit industrieux des Hollandais. Aussi est-il décidé de créer une compagnie unique à qui le monopole serait confié vers les marchés orientaux, laquelle aurait le droit de faire la guerre et de négocier des traités avec les souverains lointains. Le 20 mars 1602 naît la **Compagnie des Indes orientales** (VOC), dont la direction est confiée aux Heren XVII (les « 17 Messieurs ») représentant six villes de la république. Financée par de riches marchands et de petits actionnaires, la VOC éclipse ses rivales. De 1602 à 1791 (date de sa dissolution), elle envoie un million d'Européens à bord de 4 785 navires et traite plus de 2,5 millions de t de marchandises. En 1619, la VOC établit son quartier-général à Batavia (Jakarta – fondée par Jan Pietersz Coen) et développe des comptoirs à travers toute l'Asie et au cap de Bonne-Espérance (ancêtres des Afrikaaners). En 1621, la Compagnie des Indes occidentales (WIC) est créée pour conquérir les marchés de l'Afrique et de l'Amérique. Dirigée par les Heren XIX, elle s'établit en Amérique du Nord (dont la future New York), dans les Caraïbes, au Surinam et sur la Côte d'Or (Ghana), tout en s'adonnant à la traite des Noirs et au piratage des navires espagnols…

Grand magasin européen

Les activités des compagnies alimentaient le développement d'Amsterdam qui vit alors son **Siècle d'or** (expansion économique, démographique, épanouissement des arts). La cité se dote d'une bourse (1607) puis d'une banque (1609), embryons du capitalisme à venir. La ville devient la **première puissance** économique et maritime européenne. Voyez l'Atlas portant le monde sur la façade du palais royal (**❤** p. 50), symbole de la domination de la cité marchande ! Y transitent les produits européens (métaux, tissus, cuirs, bière, vin) et asiatiques (opium, sucre, thé, soieries, laques, pierres précieuses, épices). Ces derniers représentent 60 % du fret : cannelle de Ceylan, muscade des Moluques, camphre de Taïwan, etc. Le déclin débute à la fin du 18e s., quand le vaste empire colonial devint trop lourd à administrer, et la concurrence éclipse peu à peu le Siècle d'or.
❤ *Tropenmuseum (p. 96), Scheepvaartmuseum (p. 99), West-Indisch Huis (p. 78) et Oost-Indisch Huis (Oude Hoogstraat 24, dans le Quartier rouge).*

111

Rembrandt, le maître

« Ce que les mille peintres de Hollande prennent pour sujet de leurs toiles, Rembrandt le prend pour élément de ses visions. » (Élie Faure).

La formation

D'un père meunier – d'où le nom de Van Rijn, « près du Rhin », ajouté par allusion à son moulin – Rembrandt Harmenszoon Van Rijn naît le 15 juillet 1606 à **Leyde**. Après s'être formé à Amsterdam auprès de Pieter Lastman, il s'installe dans sa ville natale comme peintre indépendant. Ses premières œuvres révèlent déjà sa maîtrise poétique du clair-obscur, son sens de l'expression psychologique et son don pour le traitement réaliste des sujets.

La notoriété

« Où donc Rembrandt eût-il pris son or et ses rouges, et cette lumière argentée ou roussâtre où le soleil et la poussière d'eau se mêlent, s'il n'eût toujours vécu à Amsterdam, dans le coin le plus grouillant, le plus sordide de la ville, près des bateaux versant aux quais des loques rouges, de la ferraille rouillée, des harengs saurs, du pain d'épices et la traînée royale des carmins et des jaunes le jour du marché aux fleurs ? » (Élie Faure). En 1631, poussé par le succès, Rembrandt s'installe à Amsterdam où il devient un **portraitiste** couru. Il épouse Saskia van Uylenburgh en 1634 et achète une maison où naît

leur fils, Titus. Il poursuit son œuvre de **peintre d'histoire**, en enrichissant les accessoires et le pittoresque de ses modèles – des Juifs du quartier – dans une tendance « baroque » qui va conduire à l'affirmation d'un art particulièrement novateur.

Soupirs et faillite

Les années 1640 sont marquées par la mort de Saskia (1642), les difficultés financières et un procès pour rupture de promesse de mariage que lui intente une ancienne nourrice de Titus alors qu'il vit en concubinage avec Hendrickje Stoffels. C'est la décennie de *La Ronde de nuit* (1642) et des grands **sujets religieux** à l'intériorisation croissante, à la lumière irradiante et aux empâtements puissants. Son style ne cesse de se libérer, toujours plus hardi et original. Capricieux avec ses commanditaires, l'artiste fait banqueroute en 1656, ses collections et sa maison sont vendues en 1658. Quoique ruiné, Rembrandt ne se coupe pas du public. Il continue d'assurer de grandes commandes dans les années 1660 et reconstitue même une partie de ses collections. Le malheur le frappera encore deux fois avant sa mort, le 4 octobre 1669 : Hendrickje décède en 1663 et Titus disparaît en 1668.

« Il meurt avant d'avoir eu la tentation de faire le pitre. » (Jean Genet)

🐦 *Rijksmuseum p. 81 et Rembrandthuis p. 90.*

De Frans Hals à CoBrA

D'abord apparentée à la peinture flamande puis marquée par l'Italie, la **peinture** hollandaise connaît son apogée au 17e s., profitant de l'émancipation des Provinces-Unies et du soutien des marchands du Siècle d'or.

Le Siècle d'or

Après l'épanouissement de l'art flamand (15e-16e s.) grâce aux pinceaux de Jan van Eyck, Jérôme Bosch ou Pieter Bruegel l'Ancien, puis le développement de la peinture hollandaise à Haarlem et Utrecht, c'est à Amsterdam désormais riche que va se déplacer au 17e s. le cœur de l'activité artistique nord-européenne. Le grand apport des artistes néerlandais est ce **souci du naturalisme**, inconnu jusqu'alors, qu'ils privilégièrent à travers les portraits, les tableaux de genre, la nature morte, le paysage ou la peinture d'architecture. Ces tableaux ne sont plus destinés à l'Église mais aux intérieurs de bourgeois aisés – aussi les sujets sont-ils d'une nature plus profane, constituant de remarquables **témoignages** sur la vie quotidienne de l'époque. **Rembrandt** *(voir ci-contre)* et **Frans Hals** (1581-1669, *voir p. 103*) excelleront dans les **portraits** (individuels ou de groupes), en représentant aussi bien l'aristocratie que des « bouilles » réalistes de gens de la rue. L'adoption d'une Réforme tout en austérité favorisa le développement de la **nature morte** – « vie immobile en néerlandais » – qui fera la renommée de **Pieter Claesz** (1597-1661) ou **Floris van Dyck** (1575-1651). La grande figure de **l'art du paysage** sera **Jacob van Ruysdael** (1629-1682) qui transcenda les règles de la composition classique. Quant à **Vermeer** (1632-1675), la dimension intemporelle de ses compositions l'exclut de toute catégorisation.

Du 18e s. à nos jours

L'âge d'or prend fin avec le déclin de l'économie hollandaise au 18e s. Les tableaux de l'**école de La Haye** illuminent le 19e s., puis **Vincent van Gogh** (1853-1890) colore peu à peu sa peinture sombre en fréquentant les impressionnistes parisiens *(voir p. 84)*. Le 20e s. connaît un grand renouveau artistique aux Pays-Bas, grâce notamment à **Piet Mondrian** (1872-1944), cofondateur du mouvement **De Stijl** et initiateur de l'art abstrait avec ses compositions « néoplastiques ». Après 1945, naquit **CoBrA**, mêlant tendances expressionnistes, surréalistes et abstraites. En 1961 naît le mouvement **Nul** (Zéro) contre le cloisonnement des activités artistiques. Dix ans plus tard, **Ger van Elk** se rapproche de l'art conceptuel avant que **Rob Scholte** et **Marlene Dumas** n'exploitent les possibilités offertes par les médias. Aujourd'hui, tout comme au 17e s., la cité accorde toujours une grande importance au **soutien de la création**.

Architectures

Les maisons de canal

Datant surtout des 17e -18e s., elles forment un ensemble homogène et préservé. On en distingue néanmoins **trois types** : la maison de marchand *(Koopmanshuis)* avec son grenier de stockage, la maison de seigneur *(Herenhuis)* et la maison-boutique *(Winkelhuis)* à entrée directe sur la rue. La construction de ces *grachtenhuis* est régie par des règles strictes. L'usage de la brique est imposé au 15e s. pour prévenir les risques d'incendie, le bois étant utilisé pour les planchers et les pilotis des fondations. L'**étroitesse** des maisons est due à la taille des parcelles et à la taxe foncière calculée selon la largeur des façades. On privilégiait donc la hauteur, mais un plan en deux parties dotait parfois la « maison de devant » *(voorhuis)* d'une extension en profondeur (« maison de derrière » – *achterhuis*). Vous noterez les poulies permettant de hisser les marchandises et les **façades penchées** afin de gagner de l'espace. Si la maison a peu évolué, le **pignon** a connu de nombreuses métamorphoses. De forme triangulaire, le pignon simple (16e s.) épouse la pente du toit. Au 17e s., la Renaissance hollandaise engendre le pignon à redents. Puis apparaissent des formes toujours plus harmonieuses, agrémentées de décorations : étroit pignon à cou, pignon en cloche, à volutes. Ils seront remplacés par des couronnements intégrant au fil du temps les différentes influences du langage décoratif européen.
Java-eiland (p. 100) et ses maisons de canal version 21e s.

20e-21e siècles

En livrant la Bourse du commerce, **Hendrick Petrus Berlage** (1856-1934) prône la simplicité des formes, l'utilisation rationnelle des matériaux et ne cache plus les éléments de construction. Puis les commandes de logements ouvriers du Plan Sud vont offrir des débouchés aux architectes de l'**école d'Amsterdam**. Développé par **Michel De Klerk** (1884-1923), **Piet Kramer** (1881-1961) et **Jan van der Mey** (1878-1949) entre 1915 et 1940, leur style traduit la volonté de rompre la monotonie des façades par l'asymétrie et par les différences de niveau et d'alléger la sévérité des lignes droites grâce à des pans de murs incurvés.
Het Schip (p. 80), De Dageraad (p. 88) et Scheepvaarthuis (p. 98).
Aujourd'hui, dans les **Oosterdock**, les architectes multiplient les **expériences** : formes débridées, organisation à géométrie variable permettant la mixité sociale. Ils réagissent aux abus du modernisme tout en renouant avec l'ambition sociale de l'école d'Amsterdam.
ARCAM, p. 99.

Chers intérieurs

Mobilier du Siècle d'or

À l'époque gothique tardive, qui produisit des coffres en chêne et des dressoirs aux motifs en « plis de serviette », succède en 1550 une période inspirée de la Renaissance italienne. Mais, comme la peinture, les **arts décoratifs** connaissent leur siècle d'or au 17e s. La **faïence** de Delft se développe (**ⓒ** p. 116). Les ébénistes excellent dans la fabrication de **cabinets** en marqueterie et incrustations d'ébène, d'écaille ou d'ivoire, dont les multiples tiroirs accueillent les collections de curiosités que l'honnête homme se doit de rassembler. Massives et richement décorées, les **armoires** « Renaissance hollandaise » sont peu à peu remplacées par les armoires « à coussins » aux vantaux ventrus, confectionnées dans ces bois exotiques qui affluent des colonies. Les **maisons de poupée**, confectionnées par les dames de la bonne société, sont des chefs-d'œuvre de précision donnant un bel aperçu des intérieurs de l'époque. En 1656, le mathématicien Christiaan Huygens (1629-1695) découvre le mouvement isochronique du pendule, dont l'énergie va animer les horloges et les pendules, objets qui deviendront vite prétexte à toutes les variations décoratives. Et aux 18e-19e s., Amsterdam devient un grand centre de **production horlogère**.

Le design aujourd'hui

Le design hollandais conquiert une réputation internationale au 20e s., gagné par les idées de rupture et la recherche d'une esthétique nouvelle. L'ensemble de la maison doit désormais être pensé dans une unité stylistique, selon le schéma influent du *gesamtkunstwerk* (œuvre d'art totale). Le mot d'ordre est à la simplicité et à la fonctionnalité. Berlage puis les architectes de l'école d'Amsterdam créent des meubles sobres et fonctionnels pour les bâtiments qu'ils conçoivent, les seconds privilégiant les formes courbes et les décorations inspirées de la nature. Puis **Rietveld** dessine la chaise Zig-Zag devenue un jalon de l'histoire du design. Depuis 1945, les créations hollandaises, rasoirs Philips, camions Daf, panneaux de signalisation des aéroports de Schiphol ou de New York, vêtements Oilily ou Mexx, intérieurs de Jan des Bouvries continuent à promouvoir une certaine idée de la simplicité et du fonctionnalisme dans des domaines différents. Dans les années 1980 et 1990, Dick Dankers (Frozen Fountain) puis Gijs Bakker et Renny Ramakers (Droog Design) créent des centres réunissant designers et artisans néerlandais. La réputation des créateurs hollandais se mesure à leurs contributions aux marques internationales, telles Diesel, Nike, ou Tommy Hilfiger.

Diamant et faïence

Ancienne cité du diamant

Amsterdam fut jadis le principal centre diamantifère du monde où l'on se targue d'avoir taillé le *Koh-i-Noor*, l'un des joyaux de la Couronne d'Angleterre. L'industrie de la taille du diamant fut introduite à Amsterdam à la fin du 16e s. par les juifs séfarades. En quelques siècles, ils firent d'Amsterdam la **capitale mondiale du diamant**, grâce aux fabuleux gisements découverts dans les colonies d'Afrique du Sud au 19e s. C'est à cette époque que le tout puissant Syndicat national des travailleurs de diamant (ANDB), mené par Henri Polak (1868-1943), fait construire son somptueux siège surnommé De Burcht (👣 « Plantage » dans « Visiter Amsterdam »). Cependant, depuis la fin des années 1930, Anvers s'est emparée du titre, attirant les diamantaires grâce à une législation plus souple et une fiscalité moins pesante.

La **dizaine de tailleries** qui subsistent proposent, pour la plupart, une visite guidée gratuite de leurs ateliers. On vous livrera les clés nécessaires à l'achat d'un diamant, dont la qualité se juge selon quatre critères : le nombre de carats, la couleur, la limpidité et la taille.

👣 *Taillerie Gassan Diamonds (« Nos adresses/Shopping » p. 41, et p. 90)*

La faïence de Delft

Qui n'a jamais croisé aux Pays-Bas un objet en faïence de Delft ? Moulins ou jeux d'enfants, ces **délicats motifs bleus sur fond blanc** trouvent pourtant une part de leur origine dans les porcelaines chinoises et japonaises. Importées en Europe dès le 16e s. par la Compagnie des Indes, elles faisaient concurrence aux potiers hollandais, qui durent réagir en créant une faïence originale. Les fabricants abandonnent la majolique et se spécialisent dans les carreaux de faïence, les **objets de haute qualité** ou les objets usuels que les Chinois ne savent pas produire (moutardiers, pots de pharmacie). Les faïenceries de Delft (entre Rotterdam et La Haye) trouvent leur voie grâce au bleu obtenu avec l'oxyde de cobalt, et à l'utilisation d'une argile plus fine qui rapproche l'aspect du produit fini de celui des porcelaines. Au 17e s., les manufactures de Delft intensifient leur production et conquièrent le marché européen.

À Amsterdam, admirez les productions de cette époque sur les murs des maisons des canaux, ou au Rijksmuseum *(p. 81)*. La faïence de Delft est toujours produite. Vous pourrez acquérir des assiettes… *Made in China* dans les stands touristiques, ou des pièces rares chez les antiquaires.

👣 Faïence de qualité à Delft Shop De Munt *(Muntplein 12 - 📞 (020) 623 22 71 - lun.-sam. 9h30-18h, dim. 11h-18h)* et chez les antiquaires de Nieuwe Spiegelstraat.

Digues et canaux

Amsterdam, la « **digue sur l'Amstel** », s'est bâtie en luttant avec et contre l'eau, une eau qui représente une menace tout en lui assurant sa richesse, et chaque conquête de surface habitable fut le résultat d'un plan d'urbanisme précis.

Domestiquer l'eau

La première digue (actuelle Zeedijk) fut édifiée par des pêcheurs en 1222. D'autres suivirent, auxquelles s'ajouta une écluse devenue nécessaire pour la circulation des embarcations et le développement du commerce. Construite à l'emplacement du Dam, elle autorisait l'Amstel à se jeter dans l'IJ. La zone se peupla et devint ville en 1275. Pour accompagner la croissance démographique, il fallut **gagner de la terre ferme** en élargissant les remblais. Les maisons en bois (matériau léger préférable sur cette terre meuble) furent alors élevées entre les deux levées (*burgwal*). Mais la ville se sentant à l'étroit, on creusa des canaux parallèles aux remblais, en utilisant le surplus de terre pour élargir l'espace urbain. En 1586, on entame le chantier herculéen du **Grachtengordel** (🕮 *p. 73*), une ceinture de quatre canaux tracés au compas qui doubla la surface de la ville grâce aux richesses du Siècle d'or. On construit désormais en dur, sur des pilotis enfoncés dans le sol. L'agrandissement suivant fut réalisé vers le sud par **Hendrick Petrus Berlage**

en 1917 : des quartiers longeant de larges avenues rompant radicalement avec le tissu urbain du centre. Le dernier plan de **1934** élève des immeubles fonctionnels au milieu des espaces verts et non plus le long des rues. Aujourd'hui, la réhabilitation des zones portuaires et la création d'**îles artificielles** (IJburg) à l'est résolvent (un peu) la crise du logement.

Une gestion complexe

Aujourd'hui, l'agglomération comprend 14 polders, sur 110 niveaux différents, régulés par 84 stations de pompage, et protégés des eaux de l'IJsselmeer par des digues et des écluses. Le centre historique se situe à 60 cm au-dessus du **NAP** (point de référence pour les mesures d'altitudes aux Pays-Bas), tandis que l'aéroport de Schipol est à 5 m sous le niveau de la mer. On compte environ 160 canaux, d'une longueur totale de 75,5 km, pour une profondeur moyenne de 2,4 m. Le système des pilotis est toujours en usage mais, en béton, ils s'enfoncent jusqu'à 60 m de profondeur. Avant que le canal de la mer du Nord n'isole la ville de la mer, les eaux saumâtres étaient nettoyées par les marées et l'Amstel. Aux 19e-20e s., on remblaya des canaux insalubres avant de mettre en œuvre un système de **pompage** qui aujourd'hui renouvelle l'eau 2 à 4 fois par semaine. Dix bateaux nettoient et draguent les canaux.

La ville qui pédale

La terre est plate…

Un parking à étage où s'alignent 5 000 vélos, voilà ce que contemple le touriste à peine sorti de la gare centrale. Car, à Amsterdam, presque la moitié des déplacements s'effectuent à vélo (*fiets* en néerlandais). Plus de **600 000 bicyclettes pour 700 000 habitants**, vous tenez là le moyen de transport le plus rapide, le plus économique et le plus agréable pour se déplacer. La ville étant complètement plate, les Amstellodamois n'ont pas le mérite du petit effort quotidien que représentent les coups de pédale. Ils peuvent en revanche se targuer d'avoir aménagé toute l'agglomération pour faciliter les circulation des cyclistes.

Le réseau de **pistes cyclables** couvre 400 km. Les mouvements écologistes et contestataires des années 1960, Provo ou Kabouters, avaient préparé le terrain et suscité une attention précoce pour ce moyen de transport sous le règne, alors tout-puissant, des voitures. Et c'est en 1978 que les élus firent tracer un très grand nombre de pistes pour désengorger la ville. Cette **politique** se poursuit : améliorer le maillage des pistes cyclables, leur signalisation, la prévention contre le vol (puçage) et le stationnement. Aujourd'hui, chaque nouveau plan d'urbanisme inclut les aménagements adéquats pour la circulation et le parking des deux-roues des résidents ou des travailleurs.

Un style de vie

Si en France vélo = loisir, aux Pays-Bas, on pédale pour aller à l'école, faire les courses, aller au bureau ou à l'usine. Cette pratique s'apprend dès le plus jeune âge, lorsque l'on est transporté par ses parents dans une petite charrette qui vibre sur les pavés. On connaît très tôt le code de la route, le respect des voies réservées avant, plus tard… de se permettre une conduite assez anarchique. Vous découvrirez de **nombreux aménagements** et équipements inconnus chez nous : parkings gardés, wagons aménagés, espace de rangement dans les maisons, ateliers de réparation, vêtements adaptés à tous les temps, panneaux de signalisation.

Le type de vélo le plus répandu est l'élégante bicyclette hollandaise, préférée au VTT suréquipé. D'ailleurs, étant donné le très grand nombre de vols (40 000 par an !) et en attendant un puçage généralisé, certains préfèrent des vélos « jetables », pas trop coûteux, faciles à remplacer et ne suscitant pas les convoitises. D'ailleurs, il n'est pas rare qu'un cycliste fraîchement délesté de son véhicule se serve à son tour pour rentrer chez lui. Sachez enfin que chaque année, l'on retrouve 10 000 vélos au fond des canaux. Pour diverses raisons…

⚛ L'office de tourisme propose des plans pour visiter la ville à vélo. *Voir aussi « Vélo » p. 14.*

Gourmandises

Un séjour à Amsterdam permet de découvrir l'art des sandwichs (que d'excellents pains !), de roboratives potées *(stamppot)* et soupes *(erwtensoep)* bienvenues en hiver et l'exotique cuisine indonésienne (🕭 *« Nos adresses/Se restaurer » p. 25).* Mais aussi bien d'autres produits…

L'autre pays…

En parcourant le Boerenmarkt (🕭 *p. 40 et 76)* ou quelques bonnes boutiques, vous découvrirez des **fromages** aux saveurs très éloignées des produits industriels qui arrivent jusqu'à nous. Appréciés au petit-déjeuner et à l'apéritif, ils sont vendus à divers stades de maturation, jeunes *(jong),* doux et crémeux, ou vieillis *(oud),* secs et forts. Le gouda est un fromage cylindrique et plat, tandis que l'edam, produit du Nord, se présente comme une boule à croûte jaune (revêtue à l'exportation d'une enveloppe rouge). Le maasdam, reconnaissable à ses trous, s'apparente au gruyère. Vous trouverez également de nombreux fromages aromatisés au cumin, aux clous de girofle, etc.

À 30 km de la mer du Nord

L'air marin qui souffle sur la cité attire les habitants vers les kiosques à poissons. Ils y dégustent l'anguille fumée *(gerookte paling),* le hareng saur *(bokking)* ou le hareng mariné dans du vinaigre *(haring).* En mai et juin, l'arrivée du **hareng nouveau** *(maatje)* est un événement. Il s'avale tout cru et tenu par la queue.

Un peu de sucré

Parmi les gâteaux appréciés, ne manquez pas la traditionnelle *appeltaart,* délicieuse **tarte aux pommes,** aux raisins secs et à la cannelle, accompagnée de sa crème fouettée maison. Autres spécialités : les *poffertjes* (petites crêpes soufflées) et les *stroopwafels* (gaufres fourrées à la mélasse). Quant aux amateurs de **chocolat,** ils apprécieront l'imagination des artisans du pays de Van Houten (🕭 *« Nos adresses/Shopping » p. 39 et 40).*

Dans les verres

La **bière** néerlandaise *(bier),* bien moins variée que sa voisine belge, est représentée dans le monde entier par les marques Heineken ou Amstel auxquelles les puristes leur préfèrent les bières artisanales et bières de saison. Mais la boisson alcoolisée traditionnelle est le **genièvre** *(jenever),* une eau-de-vie aromatisée avec des baies de genévrier. Jeune *(jong),* vieux *(oud)* ou très vieux *(zeer oud),* il est versé dans un petit verre *(borrel)* et apprécié aussi bien en apéritif qu'en digestif. On le déguste dans de pittoresques *proeflokalen* (🕭 *« Nos Adresses/Prendre un verre » p. 30).* Enfin, héritage du commerce de la Compagnie des Indes orientales, les Amstellodamois apprécient les excellents thés et cafés.

Ajax Amsterdam

Avec son nom mythologique (celui d'un héros de la guerre de Troie), son maillot original et son palmarès, le club de football amstellodamois contribue au rayonnement de la capitale hollandaise.

Un club de légende(s)

C'est en **1900** qu'un petit club créé par un groupe d'amis fut officiellement fondé sous le nom d'Ajax. L'année 1911 voit le club rejoindre la première division et l'adoption définitive du célèbre maillot à bande rouge centrale. Il faut attendre 1917 (coupe) puis 1918 (championnat) pour les premiers titres, obtenus sous la houlette de Jack Reynolds, resté trente-trois ans à la tête du club ! En 1954 débute l'ère du football professionnel aux Pays-Bas. Champion en 1957, l'Ajax participe à sa première Coupe d'Europe et l'une des légendes du club débute sa carrière : Sjaak Swart. L'Ajax prend une tout autre dimension en dominant outrageusement l'Europe de 1971 à 1974 grâce au **jeu offensif légendaire** voulu par Rinus Michels et à des joueurs comme **Johan Cruyff** (célèbre numéro 14) et **Johnny Rep**. Pillé, l'Ajax se contentera ensuite de briller avant tout sur la scène nationale. Il faut attendre 1987 et un but de **Marco van Basten** pour une victoire en Coupe des coupes. En 1992, Louis van Gaal prend les commandes de l'équipe et, grâce à des joueurs comme Dennis Bergkamp, Jari Litmanen et Frank Rijkaard, remporte plusieurs titres dont

la Ligue des champions en 1995. Mais depuis, l'argent dominant ce sport, le club peine à retrouver les sommets européens, et doit se contenter d'étoffer son impressionnant palmarès national (29 fois champion, 17 coupes) face au PSV Eindhoven et au Feyenoord Rotterdam. L'opposition est historique avec ce dernier : ville d'artistes contre ville ouvrière, « étiquette juive » contre antisémitisme. Une **rivalité** malheureusement source de violences.

Football total

L'importance donné à la **formation** et le « **football total** » des années 1970 (toute l'équipe attaque et défend ensemble) demeurent les marques de fabrique du club. Si les joueurs formés à l'Ajax font désormais le bonheur des riches équipes étrangères, l'affluence est toujours grande à l'impressionnante **ArenA** qui succéda en 1996 au stade De Meer, et l'on porte fièrement le maillot des « Lanciers » dans la rue, et pas seulement pour fêter les titres sur Leidesplein.

♿ À consulter : www.ajax.nl.

À visiter : musée **World of Ajax** *(ArenA Boulevard 1 - 54, arrêt Bijlmer - ☎ (020) 311 13 33 - www.amsterdamarena.nl - 10h-17h - 8 €)* ; visite guidée du stade, musée, boutique. Mêmes coordonnées pour assister à une rencontre ou informations auprès de l'office de tourisme.

Les grandes dates d'Amsterdam

250 000 av. J.-C. – Premières traces de l'homme dans le Limbourg.

1er s. av. J.-C. – Installation des Bataves.

925 - Annexion au Saint Empire romain germanique.

11e -13e s. – Mise en place des principautés féodales.

1175 – **Fondation** d'Amstelledamme.

1300 – Amsterdam reçoit une charte lui octroyant le droit de cité.

1358 – Adhésion à la Ligue hanséatique.

1548 – Charles Quint regroupe les dix-sept provinces des Pays-Bas.

1568 – Début de la guerre de Quatre-Vingts Ans.

1576 – Signature de la Pacification de Gand par les dix-sept provinces.

1578 – La ville aux mains des Réformés.

1579 – Union des provinces du Sud à l'Espagne, et union des provinces calvinistes du Nord.

1585 – Chute d'Anvers. **Début du Siècle d'or**.

1602 – Création de la **Compagnie des Indes orientales** (VOC).

1607-1611 – Édification de la Bourse et fondation de la Banque d'Amsterdam.

1621 – Création de la Compagnie des Indes occidentales (WIC).

1624 – Fondation de La Nouvelle-Amsterdam sur l'île de Manhattan.

1629 – Descartes s'installe à Amsterdam.

1648 – Indépendance de la république des Provinces-Unies. Début de la construction du Palais royal.

1672 – Angleterre et France en guerre contre la république. Amorce du déclin.

1787 – Frédéric Guillaume II, roi de Prusse, soutient le prince d'Orange.

1810 – Rattachement à l'Empire napoléonien.

1814-1815 – Réunification des provinces. Guillaume Ier roi des Pays-Bas.

1830 – La Belgique indépendante.

1848 – **Constitution néerlandaise** et séparation de l'Église et de l'État.

1880-1881 – Première guerre des Boers.

1900 – Fondation de l'Ajax Amsterdam.

1940-1945 – Occupation allemande.

1941 – Premières mesures antisémites et déportations. Grève de protestation.

1942 – Anne Frank entre en clandestinité.

1945 – Libération du pays en mai.

1965-1966 – Mouvement Provo.

1971-1973 – L'Ajax triple champion d'Europe.

1973-1977 – La gauche au pouvoir. Début du « laboratoire social ».

1975 – Indépendance du Surinam.

1980 – **Beatrix**, reine des Pays-Bas.

1982-1994 – Gouvernements successifs de Ruud Lubbers (CDA).

2001 – Législation des maisons closes, de l'euthanasie. Mariages homosexuels.

2002 – Assassinat de Pim Fortuyn.

2004 – Assassinat de Theo van Gogh.

2005 – Les Pays-Bas votent non à la Constitution européenne.

2006 – Élections législatives anticipées. Victoire du 1er ministre sortant et forte progression des socialistes.

123

Collection sous la responsabilité d'Anne Teffo

Ont contribué à l'élaboration de ce guide :

Édition	Anne Lagarde, Anath Klipper
Rédaction	François Sichet, Mélanie Cornière, Sandra Darbé, Renaud Deschamps, Vincent Folliet, Serge Guillot, Laurence Ottenheimer, Delphine Storelli, Julie Subtil
Cartographie	Aurélia Tanaka, Marc Martinet, Thierry Lemasson, Stéphane Anton, Michèle Cana Plans de villes réalisés d'après les données TeleAtlas. © TeleAtlas 2008
Conception graphique	Laurent Muller (couverture et maquette intérieure)
Relecture	Valérie Lajoinie-Mériot
Régie publicitaire et partenariats	michelin-cartesetguides-btob@fr.michelin.com *Le contenu des pages de publicité insérées dans ce guide n'engage que la responsabilité des annonceurs.*
Remerciements	Maria Gaspar et Manuel Sanchez (iconographie)
Contacts	Michelin Cartes et Guides Le Guide Vert 46, avenue de Breteuil 75324 Paris Cedex 07 ✆ 01 45 66 12 34 – Fax : 01 45 66 13 75 www.cartesetguides.michelin.fr